D0629968

LOS GODOS
Y LA EPOPEYA ESPAÑOLA

"CHANSONS DE GESTE" Y BALADAS NÓRDICAS

COLECCIÓN AUSTRAL

N.° 1275

ESPASA
S A
C
CALPE S A

RAMÓN MENÉNDEZ PIDAL

LOS GODOS Y LA EPOPEYA ESPAÑOLA

"CHANSONS DE GESTE" Y BALADAS NÓRDICAS

ESPASA-CALPE, S. A.

Primera edición especialmente autorizada por el autor para la

COLECCIÓN AUSTRAL

PRINTED IN SPAIN

Acabado de imprimir el día 23 de marzo de 1956

Talleres tipográficos de la Editorial ESPASA-CALPE, S. A.

ÍNDICE

LOS GODOS Y EL ORIGEN DE LA EPOPEYA ESPAÑOLA

Estas páginas fueron presentadas en Spoleto, el 1 de abril de 1955, al Centro Italiano di Studi sull'Alto Medioevo, durante la "Terza Settimana Internazionale di Studio: I Goti in Occidente: problemi"

LOS GODOS Y EL ORIGEN DE LA EPOPEYA ESPAÑOLA

ORIGEN DE LA ÉPICA MEDIEVAL ESPAÑOLA

A estas fecundas reuniones de Spoleto se nos pide que traigamos "problemas". Ningún problema más arduo y discutido que el que traigo.

Deseo exponer brevemente el origen godo de la épica española medieval. Bien sé que me arriesgo en un tema que tropieza, desde luego, con la previa negativa, o por lo menos con la incrédula prevención de casi todos, y esto por dos motivos.

Primero, porque el origen germánico de la épica española parece implicar el origen germánico de la épica francesa, cosa que es universalmente negada desde la publicación de los excelentes y hermosos estudios de J. Bédier. Pero esto no es bastante para arredrarme, porque Bédier confiesa con toda franqueza que en sus opiniones obran razones sentimentales, pues reconocer ese origen le parece que sería entregar a los alemanes la *Chanson de Roland;* y este temor (al que se debe parte de la sistematización exagerada que se ha notado en la gran obra de Bédier), me parece que saca por completo de quicio la cuestión que nos ocupa.

La *Chanson de Roland* queda tan enteramente francesa y tan admirable si creemos que cinco siglos antes el género de las *chansons de geste* tuvo su origen en un hábito germánico como si creemos que ese género de poemas no nació hasta el siglo XI. Gastón Paris tenía ciertamente algún motivo para sentir esa "fobia antitedesca" que L. F. Benedetto señalaba en los razonamientos de Bédier, pues el gran maestro francés había abierto un memorable curso en el Collège de France sobre "La *Chanson de Roland* et la nationalité française", el año 1870, en medio del círculo de hierro que los ejércitos alemanes tenían puesto en torno a la ciudad; mas sin embargo, Gastón Paris no sintió que padecía lo más mínimo su profundo patriotismo, ni creyó que entregaba la *Chanson de Roland* a los alemanes, al adherirse más tarde a la opinión germanista de Pío Rajna.

El segundo motivo de negación consiste en que un origen germánico supone una larga tradicionalidad ininterrumpida, y la tradicionalidad supone una poetización colectiva; esto no es fácilmente admisible, pues se cree que suprime la función creadora del individuo en el arte. Pero la elaboración colectiva de una obra está lejos de negar al individuo poeta. La más mínima variante de una obra tradicional, lo mismo que la más genial reforma que una leyenda popular puede sufrir, son obra de un individuo, que en un momento creador de su sensibilidad y de su imaginación poetiza con más o menos fortuna algún pormenor o rehace la estructura de toda la leyenda en la obra por él repetida. No hay transmisión de la obra tradicional, sea por escrito, sea oralmente, que no lleve consigo algo de refundición a gusto del transmisor, porque todos se sienten dueños de aquel patrimonio común de la colectividad, y así, en toda obra de tradición colectiva intervienen varios autores individuales sucesivos que, al transmitirla, colaboran en ella refundiéndola, sintiéndose meros coautores entre los otros que precedieron y, por tanto, anónimos todos ellos.

Los godos en el oriente de Europa; sus cantos épicos

Todo estudio de tradicionalidad épica ha de partir del tan conocido texto de Tácito: los germanos, todas sus estirpes, usaban canciones que les servían de memorias y anales. En efecto, a mediados del siglo VI Jordanes nos informa reiteradamente de que los godos, cuando residían en la Europa oriental, tenían ese género de canciones.

Contando Jordanes la emigración del pueblo godo bajo el rey Filimer, con familias y ganados, desde la Scandzia o Escandinavia, su tierra originaria, hacia la Scitia, refiere cómo, al pasar un gran río, se hundió el puente, quedando el pueblo dividido en dos mitades, que ni los que habían pasado el río pudieron retroceder, ni los otros avanzar, pues aquella tierra, según dicen *(ut fertur)*, está llena de lagunas y tremedales que la hacen intransitable; y aun hoy, los que por allí pasan dicen oír a lo lejos mugidos de ganados y voces de hombres. La parte que con Filimer había atravesado el gran río venció a la gente de los Spalos y victoriosa llegó al extremo de la Scitia vecina al mar del Ponto, "como lo conmemoran en común sus primitivos cantos, que son a modo de historia; lo cual también es atestiguado por Ablabio, egregio y veraz historiador de los godos" (1). Tenemos aquí el tema fabuloso de la gente o la ciudad sumergida, cuyas voces o cuyas campanas se dejan oír desde el fondo de las aguas, leyenda repetidísima en forma prosística o versificada, referida a muchas lagunas y ríos; Jordanes nos dice que esa leyenda entraba en los antiguos cantos historiales de los godos *(in priscis eorum carminibus pene historicu ritu in commune recolitur)*, y a esto añade que la misma narración de los primitivos cantos se halla justificada por Ablabio (historiador hoy desconocido para nosotros) en su "veríssima historia", esto es, que la historiografía erudita de los godos incluía en su prosa la materia de los cantos antiguos, al modo que las *Crónicas generales* de España incluían la materia de los cantares de gesta; siempre la historia de los doctos, nacida en época tardía, se sirve de la historia popular cantada desde época antigua

De tiempos posteriores, Jordanes afirma hallarse escrito en los libros que los godos tuvieron tres mansiones: primera, en Scitia, junto al lago

---

(1) JORDANES, *Getica*, IV, 26-28, edic. Mon. Germ. Historica, Auct. V, 1882.

Meótide; segunda, en Mesia, Tracia y Dacia; tercera, otra vez en Scitia, junto al mar del Ponto: "pero no hallamos escritas —prosigue— en parte alguna las fábulas que dicen haber estado ellos reducidos a servidumbre en Britania o en otra cualquier isla, y que cierta persona los libertó por el precio de un caballo. Y, verdaderamente, si alguno dijere que aparecieron en nuestra región en modo diverso del que nosotros dijimos, nos disonaría mucho, pues más bien debemos creer lo que leemos que no dar fe a cuentos de viejas" (2). En este pasaje, la noticia de la servidumbre y liberación de los godos pertenece notoriamente a los *prisca carmina* que Jordanes oía repetir a los godos de su tiempo, pues el historiógrafo nos dice con toda claridad que tal cautiverio en una isla *no lo encontró escrito* en ningún autor *(nec eorum fabulas alicubi reperimus scriptas)*. A pesar de declaración tan terminante, Mommsen, por no pensar en la vitalidad oral de la tradición, sostiene que Jordanes encontró esa leyenda en Ablabio (3); y también sostiene esa opinión, a pesar de que poco antes Jordanes califica la obra de Ablabio como "veríssima historia", es decir, historia que no podía acoger un cuento de viejas.

Advirtamos que, no obstante, Ablabio y Jordanes admitieron y reseñaron, sin reparo ninguno, un *priscum carmen* que les parecía fidedigno, la

---

(2) JORDANES, *Getica,* V, 38.

(3) MOMMSEN, *Jordanis Romana et Getica,* Mon. Germ. Historica, Auct. V, 1882, Prooemium, pág. XXXVII y sigs.

aventura del puente roto y partición del pueblo en dos, y ahora Jordanes rechaza otro que les parece cuento increíble; doble actitud, igual a la adoptada por Alfonso el Sabio, que admite sin reparo muchas narraciones que nos dice estar tomadas de los cantares de gesta, pero otras veces las contradice y las desecha con desprecio. Jordanes desautoriza un relato increíble que oye contar, pues le contrapone la autoridad de lo que halla *escrito*, lo que se lee en *los libros (scriptum... lectio)*, es decir, lo que se lee en Ablabio o en Casiodoro, y emplea los mismos términos despectivos que emplea Alfonso X cuando desmiente los despropósitos que cometen los juglares en "los cantares de las gestas", a los cuales opone "lo que fallamos *escripto* en las crónicas et en *los libros*", es decir, en Rodrigo de Toledo o en Lucas de Túy: "onde más deve omne creer a lo que semeja con razón, de que falla *escritos* et recabdos, que non a las fablas de los que cuentan lo que no saben" (4). El historiógrafo godo del siglo VI, lo mismo que el español del XIII, sienten la necesidad inexcusable de aludir a un relato manifiestamente fabuloso, porque es conocido de todo el mundo, y ambos expresan en forma idéntica su reacción despreciativa. Eterna atracción y eterna repulsión entre la historia épica de la colectividad y la historia cronística de los doctos.

Notemos también que Jordanes, al decirnos que

---

(4) *Primera Crónica general*, págs. 509 *a*, 37-41, y 356 *b*, 22-25.

la servidumbre de los godos fué en Britania o en otra cualquier isla nórdica (*in Brittania vel unaqualibet insularum*), muestra conocer versiones diferentes de la leyenda, como Alfonso X cuando refiere las variantes sobre el lugar en que la mora Zaida se entrevistó con el conquistador de Toledo: "Et unos dizen que veno ella a Consuegra, otros dizen que a Ocaña, otros dizen que las vistas fueron en Cuenca" (5). Tenemos aquí la misma actitud indiferente del historiógrafo frente a las variantes de los cantos épicos.

En fin, esta identidad en la actitud de Jordanes y de Alfonso el Sabio nos asegura que la patraña rechazada por Jordanes era un canto épico, como lo eran "las fablas de los que no saben" rechazadas por Alfonso. Era un canto épico, porque un cuentecillo volandero, sin cuerpo tangible, sin forma fijada por el verso y por el canto, no podía merecer la atención de un historiógrafo, que hasta menciona las variantes relativas a tal o cual isla, variantes que en un cuentecillo informe ni se precisan ni son observables. Siete siglos de intervalo no son nada para diferenciar la manera de ver las relaciones entre la épica y la historia docta que tienen un Jordanes y un Alfonso X. Y todavía más: después de siete siglos Alfonso, según luego veremos, vuelve a tratar la mismísima leyenda del precio de un caballo, tomada también de un poema épico.

A continuación de ese novelesco episodio de la

(5) *Primera Crónica general*, pág. 553 *b*.

servidumbre de los godos en una isla, prosigue Jordanes precisando más las tres mansiones de los godos, hasta llegar a la tercera junto al mar del Ponto, cuando ya estaban divididos en visigodos, regidos por la familia de los Balthos, y ostrogodos, regidos por la familia de los Ámalos. Se distinguían de los pueblos vecinos por sus ejercicios en el tiro del arco, en medio de los cuales "entonaban en cantos con modulaciones, al son de las cítaras, los hechos de sus mayores *(maiorum facta)*, de Eterpamara, de Hánala, de Fritigerno, de Vidigoia y otros que en esta nación gozan de magno renombre" (6) palabras que nos dejan ver la abundancia con que se producía entre los godos esa literatura de cantos heroicos nacionales, desconocida entonces entre los romanos. De los cuatro famosos héroes nombrados por Jordanes, los dos primeros nos son hoy completamente desconocidos; los otros dos son visigodos, dos siglos anteriores a Jordanes. Uno vive en la primera mitad del siglo IV, cuando los visigodos habitaban el norte del Danubio: Vidigoia, varón fortísimo entre los godos, muerto dolosamente por los sármatas, según nos informa Jordanes (7). El otro es Fritigerno, el rey que conduce a los visigodos en su paso del Danubio, para establecerlos dentro del imperio romano; el que les libra del hambre y de las vejaciones con que les afligía el gobernador de Tracia,

---

(6) "Ante quos etiam cantu maiorum facta modulationibus citharisque canebant..." *Getica*, IV, 43.

(7) *Getica*, XXXIV, 178.

episodio descrito por Jordanes novelescamente; el héroe que en la batalla de Adrianópolis derrota y mata al emperador Valente (378); el que pacta al fin con el emperador Teodosio (382) (8). Refiriendo estos mismos sucesos, cuenta Amiano Marcelino (historiador y soldado coetáneo) que cuando Fritigerno y sus visigodos, rebelados contra el gobernador de Tracia, devastan esta provincia y están a punto de comenzar una batalla en el año 377, "los bárbaros entonan, en discorde y estridente canto, alabanzas de sus mayores" (9). De modo que Fritigerno, que era cantado como antepasado famoso por los godos, según Jordanes, él a su vez cantaba loores de otros sus antepasados. Nótese con toda atención la multisecular tradicionalidad de tales cantos.

Por último, Jordanes, aunque cayendo en la constante confusión de identificar con los godos a los getas y creyendo godo el reino de Dacia en tiempos de Augusto, presenta como adoctrinador de los godos al sabio sacerdote Dicineo; éste da a la clase civil de la nación el nombre de "cabelludos" (capillatos; variante, capillutos), nombre —añade— que "los godos recibieron con estima y aun hoy lo recuerdan en sus canciones" (10). Noticia curiosa que nos da el sobrenombre atribuído a los godos, de cabellos intonsos, en los cantos que Jordanes conocía.

---

(8) *Getica*, XXVI, 135-140.

(9) "Barbari vero maiorum laudes clamoribus stridebant inconditis." Ammiano Marcellino, XXXI, 7.

(10) *Getica*, XI, 72.

Los cantos referentes a Filimer recordaban al pueblo godo su emigración desde la Escandinavia al interior de Europa, y los relativos a Fritigerno le daban la historia de la primera entrada de un pueblo germánico, el visigodo, en las provincias del imperio romano. Antes y después de esos dos, ¡cuántos héroes ignotos como Eterpamara y Hánala habrán sido cantados! En tiempo intermedio de los dos reseñados, y más famoso que ellos, surge el ostrogodo Hermanarico, de la familia de los Ámalos, rey que también sujetó a su imperio a los visigodos antes que pasasen al sur del Danubio y que, al decir de Jordanes, fué comparado por algunos (es de suponer que por Ablabio) con Alejandro Magno, como conquistador de todas las naciones escitas y germanas desde el mar Negro hasta el Báltico. Refiere Jordanes cómo Hermanarico, enfurecido, hizo matar brutalmente a Sunilda, para vengar en ella la defección de su marido, y que herido Hermanarico a su vez por los hermanos de ella vengadores, arrastró vida enferma, hasta que, viendo su grandeza amenazada por la expansión del reino huno, se suicidó cuando contaba ciento diez años (muere el año 375). Tal longevidad, semejante a la del Carlomagno épico, pone su sello poético a esa cadena de venganzas, de aspecto épico también, y nos dice que seguramente Hermanarico debió de ser cantado por sus godos y por otros pueblos germánicos, ya que en la épica tardía de los pueblos teutónicos medievales, anglosajones, alemanes, escandinavos, sobrevive en poemas varios la memoria del feroz rey ostrogodo y de su víctima.

Muy próximo a Hermanarico es el Gensemundo, ámalo, que Casiodoro ensalza como celebradísimo, vivo siempre en la memoria de los godos, cantado en todas partes: *Gensemundus ille, toto orbe cantabilis.* También hay que recordar la muerte del rey visigodo de Tolosa, Teodoredo, en la batalla de los Campos Cataláunicos (año 451); indeciso aún el combate, los escuadrones de los godos celebraron los funerales, a la vista del enemigo, no omitiendo el honrar con sus cantos al regio difunto, *cantibus honoratum.* Después, entre los últimos héroes comunes a las varias estirpes germánicas en la época de las emigraciones, hallamos a Teodorico, de la estirpe de los Ámalos, el que condujo a los ostrogodos desde la Panonia al sur de los Alpes; la fama que gozó este gran rey fué muy duradera, conservándose poemas a él referentes en el Edda y en la épica tardía de otros pueblos teutónicos.

CONTINUIDAD DE LA ÉPICA HEROICA. LOS GODOS EN ESPAÑA

Pasada la época de las emigraciones, los pueblos germanos que se establecieron en las provincias del derruído imperio romano occidental siguieron usando sus cantos historiales antiguos, a la vez que siguieron noticiando en cantos nuevos los sucesos recientes, ensalzando los personajes hazañosos de la actualidad, creando nuevos héroes, y nuevas leyendas, es decir, continuaron la edad heroica que antes vivían. Salvo que los héroes de ahora no alcanzaban la fama común de antes, extendida a las varias estirpes germánicas, sino que su gloria quedaba reducida al ámbito de su propia nación nueva. Los anglosajones establecidos en Britania cultivan su épica: los fragmentos conservados del *Waldere* y del *Beowulf* nos muestran que en el siglo VIII se refundían los temas viejos, y dos siglos más tarde el fragmento de la *Muerte de Byrthnoth* en la batalla de Maldon (año 991) muestra el canto de sucesos tardíos. De los francos establecidos en la Galia sabemos, por testimonio del llamado Poeta Sajón, que continuaban su épica, cantando a los reyes merovingios de los siglos VI y VII, "Hludowicos, Theodricos, Hlotariosque", Cleodoveos, Teodoricos y Clotarios, testimonio apoyado en otros muy diversos datos.

Respecto a los textos y noticias de otros reinos germánicos, el de los godos en España aparece muy inferior. Estamos en la "edad oscura" de la Historia, que en España es edad oscurísima. La historiografía española, desde Hidacio en adelante, adopta un estilo rápido, lacónico, seco y adusto; es la historiografía más avara de noticias que se practicó en todos los reinos de Occidente. No tenemos para el reino godo historiadores como Gregorio de Tours o Fredegario, que recogen abundantes relatos legendarios referentes a los reyes merovingios; y nuestro desconsuelo llega al colmo cuando acudimos a San Isidoro, y vemos que, con ser escritor tan fecundo, es extremadamente conciso y seco en su *Historia Gothorum.* En la desesperante aridez de las crónicas hispanas anteriores no podemos esperar alguna cita de cantos historiales, ni menos algún relato que ofrezca estructura novelesca. Únicamente, entre los muchos sucesos maravillosos a que tan aficionado se muestra el obispo gallego Hidacio, parece derivar de fuente poética uno, menos vulgar que los otros, referido al año 467: convocados a una junta los godos de Eurico en las Galias, los venablos que todos llevaban en la mano cambiaron portentosamente el color del hierro, unos verde, otros rosado, otros amarillo, otros negro. No se molesta el buen cronista en decirnos por qué o para qué ocurre ese estupendo prodigio, pero es de notar que San Isidoro, leyendo a Hidacio, distinguió algo especial en esta maravillosa coloración de los venablos, pues la copió en su *Historia Gothorum* (11), en tanto que omitió los otros prodigios que Hidacio cuenta (un segundo sol; sangre que brota del suelo en Tolosa; peces extraños en el Miño). Debemos advertir también que el venablo llevado en la mano reaparece como rasgo épico en el cantar del rey Sancho el de Zamora, según la *Crónica de Alfonso el Sabio:* "et traíe en la mano un venablo pequeño, dorado, como lo avíen entonces por costumbres los reis"; y venablo o dardo supone igualmente el inexplicable arco que Carlomagno tiene en la

---

(11) Véanse el texto de Hidacio y el de Isidoro en MOMMSEN, *Chronica minora,* II (Mon. Germ. Hist., 1894), páginas 34 y 281.

mano en la famosa asamblea de la *Chanson de Roland,* cuando el emperador destina al héroe para mandar la retaguardia del ejército que se retira.

También en la *Historia Gothorum* de Isidoro, entre las muchas venganzas y tragedias que cuenta, quiere A. H. Krappe (12) ver la variante de una vieja leyenda germánica en la historia del rey Teodisclo (548-549), público prostituidor de las esposas de los magnates, y por esos magnates muerto en Sevilla en un banquete. La *Historia seudoisidoriana,* texto mozárabe del siglo X, varía diciendo que este rey, a quien llama Bitissicus, era raptor de las hijas de los nobles, y por éstos fué muerto bebiendo en una hostería de Sevilla (13).

Lo dudoso de indicios como éstos y la falta de otras noticias cronísticas referentes a la existencia de cantos narrativos entre los godos de España no puede ser apoyo para la antigua hipótesis de Fernando Wolf, suponiendo que los visigodos, muy cristianizados y muy romanizados, habían perdido sus cantos épicos una vez establecidos en la península pirenaica. Esta negación, fundada en conceptos románticos sobre la esencia de la epopeya,

---

(12) *The legend of Roderick,* Heidelberg, 1923, página 10.

(13) La redacción más completa de Isidoro véase en MOMMSEN, *Chronica minora,* II (Mon. Germ. Hist., 1894, página 285); la redacción abreviada aumenta la sequedad narrativa, diciendo sólo que Teodisclo fué muerto en un banquete, sin decir la causa y sin nombrar a Sevilla. La crónica seudoisidoriana puede verse en el mismo tomo de *Chronica minora,* II, pág. 385.

no tiene hoy fuerza alguna. Cuando no pensamos que la epopeya tenga un origen mítico, sino historiográfico, debemos suponer que la cristianización y romanización de los godos, comenzada en el siglo IV, en el imperio de Oriente, en tiempo de Fritigerno, no contrariaba los cantos historiales de ese pueblo, sino en lo que acaso tuviesen de mitología pagana incidentalmente. Y pensando en esto, si los antiguos cantos de los franceses estaban en uso aún en el siglo IX, y los cantos heroicos de los visigodos eran usuales aún en el siglo V en Aquitania en los funerales de Teodoredo, no es verosímil que hubiesen caído en olvido entre los godos establecidos al sur de los Pirineos, cuando los godos coetáneos de fuera de España seguían usando esos cantos, según testimonio de Jordanes.

El metropolitano hispalense, gran seguidor del escueto estilo historiográfico, no podía ciertamente darnos en su *Historia Gothorum* noticia ninguna referente a la existencia de cantos nacionales entre los visigodos hispanos, pero nos la da fuera del campo de la historiografía.

San Isidoro y los "carmina maiorum"

En un breve opúsculo, *Institutionum Disciplinae*, escrito para la educación de los jóvenes nobles, obedeciendo al movimiento cultural inspirado por el rey Sisebuto (612-621), San Isidoro alterna y une siempre los principios grecorromanos con los germanocristianos, y esta mezcla se observa en las enseñanzas recomendadas para la infancia del joven "principal" o de noble nacimiento; así, entre las primeras letras, los estudios liberales de gramática y la música, enseñanzas todas de carácter clásico, incluye esta modalidad especial de tipo godo: "en el ejercicio de la voz debe cantar al son de la cítara gravemente, con suavidad, y no cantares amatorios o torpes, sino preferir los *cantos de los antepasados (carmina maiorum)*, por los cuales se sientan los oyentes estimulados a la gloria" *(praecinere carmina maiorum, quibus auditores provocati ad gloriam excitentur)* (14); alusión clara a los cantos heroicos.

No podemos pasar por alto aquí que una docta conocedora de la cultura visigótica, la señora Jole Scudieri Ruggieri, pone en duda si los *carmina maiorum*, en este texto isidoriano, son "canzoni di gesta celebranti eroi nazionali, e cioè gli antichi progenitori del popolo visigotico", o si *maiores* se refiere a los "progenitori nello spirito, e cioè i primi campioni del Cristianesimo", y entonces la *gloria* a que esos cantos estimulaban sería la gloria celeste, con lo cual tendríamos en el pasaje isidoriano "un impreciso ma sicuro accenno ad una perduta epica religiosa" (15). Pero me parece to-

---

(14) ISIDORI HISPALENSIS, *Institutionum Disciplinae*, publicado por A. E. ANSPACH en *Rheinisches Museum für Philologia*, LXVII, 1912, pág. 557.

(15) *Alle fonti della cultura ispanovisigotica* (en *Studi Medievali*, XVI, 1943-1950, pág. 31).

talmente imposible esta duda. La voz *maiores*, en plural, es explicada en varios glosarios antiguos con el griego πρόγονοι, y sólo puede tener ese sentido corriente, "los antepasados", sentido que vemos fijo y consagrado en varios de los pasajes de los historiadores que venimos citando. Esos *carmina maiorum* al son de la cítara, recomendados por San Isidoro a los godos establecidos en España, son una poesía de igual tipo que los *carmina prisca* y que los *maiorum facta*, cantados al son de la cítara por los godos que Jordanes conocía en el oriente de Europa, o como los *maiorum laudes* de los visigodos, mencionados en época anterior por Amiano Marcelino, o como los *carmina antiqua* que, a modo de anales y crónicas, testimoniaba Tácito en el siglo I, usuales entre los germanos todos. Además, esa conmemoración de hechos hazañosos mediante el canto, costumbre extraña a toda la vida romana de entonces, tiene, según San Isidoro, como finalidad el que los oyentes se sientan incitados a la gloria, *auditores... ad gloriam excitentur;* y este efecto moral es exactamente el mismo descrito por el historiador griego Prisco, cuando presencia en un banquete de Átila la recitación heroica de dos cantores bárbaros: "Los convidados tenían sus ojos fijos en los cantores: unos se deleitaban en la poesía; otros, recordando las guerras, sentían enardecerse su ánimo; otros, cuyo cuerpo enflaquecido por la vejez les condenaba a la inacción, no podían contener las lágrimas"; es el mismo efecto moral de las *maiorum laudes* que los antiguos visigodos, al entrar en batalla, cantaban para excitarse al arrojo, según el ya tan citado pasaje de Amiano Marcelino.

El breviario pedagógico de San Isidoro nos viene a decir así que los godos en España, durante el primer cuarto del siglo VII, no habían olvidado, como pensaba Fernando Wolf, los cantos heroicos de que en los siglos III y IV nos dan testimonio los historiadores. San Isidoro en España, como antes Casiodoro en Italia, son latinos que quieren fundir los godos con los romanos, hermanándolos en una gloria equiparable, y el obispo Hispalense ve que los *carmina maiorum* de la estirpe gobernante deben ser parte esencial en los recuerdos de la nación, y luego veremos que, en efecto, la nación llegó a sentirse altamente preciada siempre de la nobleza goda que esos cantos exaltaban.

Siglo y medio antes que Carlomagno mandase que los cantos bárbaros y antiquísimos de los francos fuesen aprendidos de memoria, disponía Isidoro igualmente entre los visigodos que antes de llegar a la adolescencia cantasen los muchachos nobles las hazañas de los antepasados. Es un obispo, no un rey, quien en España lo dispone; y no es de suponer que la reacción eclesiástica que sobrevino en Francia en tiempo de Luis el Piadoso sobreviniese también a su vez en España, ya que, cristianizados los godos mucho más de un siglo antes que los francos y más intensamente, sus cantos antiguos no conservarían restos de paganismo que pudieran alarmar a la Iglesia, directora eficaz de la monarquía hispana. Téngase en cuenta, por último, que el opúsculo pedagógico de San Isidoro fué, sin duda, escrito por indicación de Sisebuto, un rey con quien el santo mantenía muy doctos coloquios, como se ve en el tratado *De natura rerum:* Un rey victorioso engrandecedor del poderío godo: un rey que, lo mismo que Carlomagno, promueve la cultura dentro de su reino. No puede ser mayor la semejanza entre estos dos momentos en que el gran prelado de la Iglesia visigoda y el gran emperador franco favorecen la difusión de los antiquísimos cantos bárbaros en los dos pueblos donde va a nacer una epopeya románica, o, por mejor decir, donde esa epopeya estaba naciendo ya.

En conclusión, sabemos que en el siglo VII se cantaban en España los *carmina maiorum* de origen godo y que el clero, lejos de oponerse a tales recuerdos, los preceptuaba para la educación de los jóvenes. Veremos también que lo mismo que en otros reinos germanos (francos, anglosajones, alemanes), al lado de los cantos antiquísimos, se cantaban en el reino visigodo también sucesos coetáneos. De esto tenemos pruebas en las leyendas de la invasión musulmana.

EL ESPÍRITU GÓTICO EN ESPAÑA

España tuvo una poesía épica que florece en los siglos XII y XIII. Cabe pensar que nació en esos siglos, y que nació del influjo inmediato de la épica francesa, pero ciertas consideraciones llevan a pensar que deriva de la épica goda, aunque una y otra se hallan separadas por un abismo de cuatro siglos. ¿Es esto posible?

La continuación de un influjo godo para explicar cualquier otro impulso activo en la España posterior a la invasión musulmana parece a la generalidad de los españoles la cosa más natural. No hay concepto más arraigado; los godos pueden ser mirados como el cimiento de la vida política y social en la España que sobrevive a la ruina del reino visigodo. Destruída la monarquía de Toledo, los reyes de Asturias, en los siglos VIII y IX, pusieron empeño muy persistente en aparecer como descendientes y continuadores de los reyes toledanos, herencia racial mirada como eficiente en el siglo XIII por el gran historiador Jiménez de Rada, cuando explica las luchas fratricidas del siglo XI entre los hijos de Fernando I como un "efecto de la feroz sangre de los godos", entre los cuales la ambición del trono "teñía en sangre los funerales regios". Al fin de la Edad Media los historiadores Sánchez de Arévalo y Rodríguez de Almela seguían poniendo gran énfasis en sentar que los reyes de León y Castilla descendían directamente del primer rey godo del Oriente, Atanarico, y del conductor de los godos hacia el Occidente, el rey Alarico, el que por fuerza de armas tomó a Roma; España, decían, está regida desde hace más de mil años por una misma familia, continuidad dinástica asombrosa de que no puede gloriarse ningún otro pueblo, pues en Francia o en Inglaterra hubo tres o más mudanzas de linajes regios; y tan inconmovible perduración de la estirpe goda es un don concedido por el Altísimo en premio por la devoción de España a la religión y a la sede apostólica. Y este patriótico goticismo hispano persiste en el siglo XVII, cuando Saavedra Fajardo escribía su *Corona gótica, castellana y austríaca* para alegar razones que favoreciesen una alianza política entre la patria de los godos, Suecia, con la España de los austrias.

Igualmente, sin pensar en la familia real, los españoles siempre vieron en los godos la fuente de toda nobleza; tanto los más altos magnates como los ínfimos hidalgos se vanagloriaban de su ascendencia goda, y es viejo tópico en el habla corriente el decir de todo presuntuoso que "desciende de la casta de los godos", según ya registra el lexicógrafo Covarrubias en el mismo siglo XVII. Todavía hoy *godo* o *noble* son una misma cosa, y para los hispanoamericanos *godo* es el mote con que designan al español, aludiendo a su sangre hispana no mestizada.

Cierto es que tan común sentir viene a ser alterado o negado en la renovación del pensamiento moderno. Ortega y Gasset, si bien sigue creyendo en el goticismo perdurable, le cambia el signo positivo en negativo: los visigodos, pueblo débil, causaron la falta de un feudalismo robusto y produjeron la invertebración del organismo hispano, ya que ellos son "ingrediente decisivo" en la formación del pueblo español. Esto último es lo que aquí nos interesa en la teoría de Ortega y Gasset, el confirmar la esencial importancia del componente visigótico en la estructuración de España. Muy al contrario, Américo Castro piensa que los visigodos están fuera de todo lo que podemos llamar hispano, pues sólo hemos de comprender como historia vivida y realizada por españoles la que se desarrolla desde el siglo X, cuando ya "las formas de vida romano-visigodas se habían desvanecido". Esta posición es ciertamente firme en cuanto, sin duda, hay características hispanas que sólo se dan después de la invasión islámica, pero también hay otras características que sólo pueden darse después del descubrimiento de América o de la Contrarreforma, y otras que remontan a la romanización o a las gentes primitivas. Para determinados aspectos la historia del pueblo español puede excluir todo lo anterior al siglo X o al XVI, ateniéndose a la fórmula de Toynbee, que hace mil años no existía ni uno solo de los pueblos de la Europa actual; pero la total comprensión histórica exige considerar la vida de un pueblo como un continuo irrompible, dada la realidad de su ininterrumpida sucesión generativa. Es evidente que ese común sentir de la noble sangre goda en España, mantenido a través de tantos siglos, tiene muy poco fundamento racial y mucha fantasía; pero una ilusión así, inextinguible, no es todo ilusión, y ciertamente, si la jactancia de *raza* goda en España es en su mayor parte pura vanidad, el *etnos*, el pueblo informado por la sangre y por la convivencia nacional goda, es una fundamental realidad que en los siglos sucesivos promovió muy eficientes características de la nación española.

EL GOTICISMO SE VIGORIZA DESPUÉS DE LA INVASIÓN MUSULMANA

Bien podemos decir que los godos están en la raíz misma del moderno pueblo español en cuanto el gallego bracarense Paulo Osorio, al iniciar en 418 la primera Historia de España, ve la entrada de los godos en la Península como un hecho providencial en pro del sostenimiento del mundo romano, y en cuanto, dos siglos después, San Isidoro, en su *Laude de España,* ensalza la florentísima estirpe de los godos como feliz magnificadora de la Hispania romana.

Después, la invasión islámica no causó en modo alguno ruptura con el pasado visigótico. Los mozárabes, lo mismo que los cristianos del Norte, siguieron viviendo dentro de la cultura visigoda, y casi únicamente dentro de ella, durante cuatro siglos. Los libros doctrinales que unos y otros leían y copiaban con más dedicación eran los de San Isidoro; la historia que escribían se preciaba de ser mera continuación de la isidoriana, sin tomar modelo nuevo en la superior historiografía árabe; las leyes por las que se regían los mozárabes y los Estados del Norte eran fundamentalmente las de los godos. Pero hay, además, algo notabilísimo. La destrucción del reino toledano fué muy contraproducente respecto a la destrucción del influjo godo; muy lejos de haber traído olvido ni merma del espíritu germánico, lo reafirmó y propagó con fuerza: Hinojosa y otros ilustres historiadores del derecho han estudiado el curiosísimo fenómeno de que en el reino de los Recesvintos, Ervigios y Égicas las costumbres del pueblo gobernante se mantuvieron muy cohibidas y latentes, porque, como bárbaras, las repudiaba la legislación romanizada bajo el prepotente influjo de la Iglesia, y que sólo tras la invasión musulmana, que trajo la desaparición del Estado hispanogodo y la cesación de los Concilios toledanos, los usos góticos se desarrollaron y extendieron con sorprendente vigor, como se ve en las leyes particulares de los siglos X, XI y XII.

Una de estas costumbres bárbaras que ahora surgen como de la nada es la venganza de la sangre, desconocida por el Derecho romano, por el Derecho hispanogodo, contraria a las normas de la Iglesia, y que ahora aparece autorizada en las leyes de estos nuevos siglos y poetizada como principal tema de la epopeya que en esos siglos también empieza a manifestarse. Surgen ahora también el duelo judicial, la responsabilidad colectiva de la familia o del vecindario entero de un pueblo por el crimen cometido por uno de sus individuos, los compurgadores que juraban apoyando el juramento de su pariente o de su señor, la prenda tomada por el acreedor sin intervención del juez y otras instituciones así que no tenían cabida ninguna en la *Lex Visigothorum*. Estos usos jurídicos germánicos, aunque desconocidos o expresamente contrariados por las fuentes legales del reino toledano, nadie puede dudar que vivían en el derecho consuetudinario del reino godo, ignorados, latentes, hasta que pudieron aflorar con pleno vigor en la nueva sociedad creada después de hundida la monarquía de los Concilios; pues con toda razón debemos, entre esas costumbres godas latentes, contar también la epopeya, que aflora tarde, con famosos cantares de gesta en los que extrañamente hallamos predominantes todas esas costumbres de tipo germánico que hemos citado y otras muchas más.

Densidad del ambiente germánico en la epopeya

Los que propugnan el origen puramente románico de la epopeya medieval dicen que si en la épica francesa abundan esas mismas costumbres es porque los poetas las tomaban en la vida real, no en relatos procedentes de la Germania. Es verdad que los pueblos románicos habían adoptado costumbres germanas y que ellas podían ser descritas por cualquier literato; pero si es verdad que todo cuanto ocurre en la vida es literatizable, sin embargo, no todo es literatizado, sino sólo aquellos sectores de la vida que por práctica habitual se han hecho materia literaria, debido a la acertada iniciativa de un poeta y a imitadores sucesivos que implantan y aclimatan aquel género de asuntos como materia grata disponible. Así se da el caso de que aun el sentimiento más poderoso y universal en toda la humanidad, el amor, falta en ciertos géneros y épocas por no haberse dado esa implantación afortunada, y falta por completo en la antigua épica medieval, que, en vez del amor, tiene por asunto habitual el rencor y el odio.

El costumbrismo épico, saturado de usos germánicos propios de la clase guerrera, no es, pues, un producto natural y necesario de la vida misma de esa clase social; el género historiográfico, las crónicas, se fundan también en los hechos de la nobleza y de la milicia, y, sin embargo, en las crónicas no aparece el costumbrismo germano, porque ellas dependen y derivan de una tradición latina, y sólo el referido costumbrismo entra algo en ellas cuando se dan a prosificar los poemas épicos. La generalización de ese costumbrismo poemático como un género de gran cultivo necesita, pues, de una explicación histórico-literaria (16). Y esta explicación nos viene a la mano al tener presente que los cantos de los antepasados germánicos estaban en uso tanto en la España goda como en la Francia merovingia y en la carolingia.

Acabamos de decir que la rencorosa venganza de la sangre es el tema predilecto de la épica. Esta venganza, tan contraria al Derecho romano como repugnante a la ley de Cristo, nadie soñará que pudo hacerse tema literario como un retoño de la tragedia griega tras un milenio de cristianización. Pudo, sí, haber surgido repentinamente por obra de un artista original que, inspirándose en cualquier escena de venganza que la realidad le ofreciera, crease un género de poesía truculenta, luego

---

(16) Digo todo esto pensando en J. BÉDIER, *Légendes épiques*, III, 1912, pág. 452, y IV, 1913, pág. 344.

muy imitado. Pero es altamente arbitrario pensar así. No se puede creer que la rica literatura vindicativa, floreciente en España y en Francia, naciese espontáneamente de nuevo en la Romania, sin dependencia respecto a los grandes temas de represalia sangrienta que en tiempo de las invasiones sobresalen bajo nombres celebérrimos, como los del godo Hermanrico y del huno Átila, famosísimos en la épica de los pueblos teutónicos. Sólo continuando la gran tradición germánica puede explicarse que la literatura nacional de dos pueblos neolatinos se inicie con temas donde tanta parte tiene un culto sanguinario del honor, escandalosamente contrario a todas las creaciones literarias de los clérigos latinizantes que ejercían prestigioso magisterio en los demás órdenes de la vida espiritual.

GÉNERO LITERARIO CON OBJETIVO SOCIAL-POLÍTICO

El género épico es también ajeno a la literatura latina; ésta carecía de una poesía nacional y popular cuyo objetivo fuese el que hemos visto señalado por San Isidoro: el de "estimular a la gloria", o, según el pasaje de Prisco arriba citado: enardecer el ánimo hazañoso. Esa misma finalidad tenía la épica románica: Alfonso X, sin saberlo, viene a repetir la misma idea de San Isidoro, cuando en una ley de Partidas (II, 21.º, 20) dispone que el juglar no diga ante los caballeros otros cantares sino los *de gesta*, porque con eso "les crescían los corazones et esforzábanse faciendo bien"; y en el siglo XIV un tratado latino catalán, apócrifo, atribuído a Alfonso el Sabio, sobre la buena ordenanza de un castillo, establece que los defensores de la fortaleza deben tener como lectura romances y libros de gesta, tanto franceses como españoles, "et de hiis animabuntur et delectabuntur" (17). La épica no es un ocioso divertimiento, es arte para la vida, para la vida pública, como ningún otro género literario derivado de la romanidad; poesía más que para recrear, para levantar el ánimo a pensamientos hazañosos; poesía propia de la clase guerrera, aunque no privativa de ésta, pues los hechos militares y la historia patria le confieren extenso carácter nacional. Francia, por su parte, también nos testimonia la eficacia estimulante al valor que las antiguas *chansons de geste* poseían con ejemplos varios, como el de Hastings (1066), donde los normandos entran en la batalla entonando una *Chanson de Roland* anterior a la que hoy conocemos. También Francia nos da testimonios eclesiásticos varios en los que se reconoce el valor social de las gestas.

En resumen: la teoría individualista, calificando la *Chanson de Roland* como "un roman de chevalerie" (18), explica toda la épica medieval románica como un conjunto de novelas caballerescas en verso, como un género literario nuevo, inventado

---

(17) Véase el texto en el *Boletín de la Real Academia de la Historia*, XVII, 1890, pág. 347.

(18) Así dice Bédier en 1912 del *Roland*, y muchos le siguen; por ejemplo, E. R. Curtius, en 1936: "es ist nicht Heldendichtung, sonder Ritterdichtung".

en Francia en el siglo XI, en vista de dispersos antecedentes latinos, tales como breves pasajes bíblicos y virgilianos, vidas de santos, noticias cronísticas, diplomas notariales; después supone que ese invento fué imitado en España. La teoría tradicionalista entiende que la *Chanson de Roland* no es una novela de puro entretenimiento, no es un *Amadís* en verso, sino que fué engendrada y repetida como un poema heroico nacional; por eso fué cantada por los normandos en su gran empresa, y se cantó siglos antes y siglos después bajo distintas formas; entiende la teoría tradicionalista que ni en la literatura latina clásica ni en la medieval no hay nada de donde pudiera proceder ese género de poesía historial cantada, ese género épico de los cantares de gesta, y que la única explicación razonable consiste en enlazarlo directamente con los cantos historiales de los pueblos germanos, que sabemos con certeza haberse continuado en la Hispania visigoda y en la Galia merovingia y carolingia.

Para todo esto es preciso tener presente que un uso de cantos tradicionales sabemos que en muchas ocasiones vive durante siglos en *estado latente*, esto es, oculto por completo a nuestra observación, sin que tengamos de tal uso ninguna muestra, ninguna noticia (19).

---

(19) El canto de los romances existió en estado latente varios siglos, en varios períodos antiguos, y aun latente para los modernos que trataban de descubrirlo, tanto en España como en América. (Véase el *Romancero hispánico*, II, pág. 361, y en el índice, pág. 461 *b*; véase también *Poesía juglaresca.*)

Pero una vez sabido esto, ¿podemos hacer visible el enlace entre los cantos godos y los cantos españoles conservados?

UN TEMA HISPANO-GODO EN LA ESPAÑA DE LA RECONQUISTA: EL REY RODRIGO

Nos falta encontrar algunos temas de la épica goda que hayan pasado a la épica española posterior; esto nos servirá como lazo de unión tradicional claramente perceptible entre la una y la otra producción épica y bastará para colmar el ancho abismo de latencia que media entre ellas.

En primer lugar tenemos los cantares referentes a la ruina de la monarquía hispano-goda bajo sus dos últimos reyes Vitiza y Rodrigo. Desarrollan esos cantares la leyenda del estupro que el rey comete con la hija del conde Julián de Tánger, causa de que el conde ofendido se vengue haciendo que los moros pasen el estrecho de Gibraltar y se apoderen de España. Ese crimen de estupro se atribuye por una de las versiones legendarias a Vitiza y por otra a Rodrigo, divergencia donde se refleja fielmente el último episodio de las luchas partidistas que debilitaron el reino godo en los treinta años posteriores de su existencia. Además, esa doble leyenda contiene recuerdos de algunos temas fabulosos germánicos y romanos, que los godos trajeron consigo a España, algunos de los cuales quizá habían aplicado ya antes a su rey hispano Teodisclo. Aun la crítica más reacia a reconocer la tradicionalidad primitiva afirma que el origen germánico de esta leyenda de Vitiza-Rodrigo cuenta con la garantía de ser perfectamente "demostrable" (20). Tenemos, pues, un caso seguro de haberse perpetuado una leyenda heroica goda en la baja Edad Media española.

Vitiza y Rodrigo, sin duda, no fueron los únicos reyes célebres en los cantos conmemorativos de los antepasados, usuales en el reino visigodo toledano; la explicación de que ellos solos hayan sido recordados por las generaciones muy posteriores depende del permanente interés que les prestó la magna catástrofe de la invasión mora, siempre presente a la memoria de los que luchaban en la reconquista del suelo patrio, invadido por culpa de esos últimos reyes.

UN TEMA DEL REINO GODO HISPANO-AQUITANO

Remontémonos ahora a época muy anterior a la de Vitiza y Rodrigo.

Del tiempo de las emigraciones, cuando los héroes épicos eran comúnmente famosos y cantados entre todas las estirpes germánicas, tenemos otro tema godo, el de Walther de España o de Aquitania, tratado por la épica española muy tardía, por el romance de *Gaiferos y Melisenda*, que remonta

---

(20) Me refiero a E. VON RICHTHOFEN, *Studien zur romanischen Heldensage*, Halle, 1944, págs. 140-141.

a todo más al siglo XV. En la explicación de este hecho se enfrentan muy significativamente el criterio individualista y el tradicionalista.

Para el individualismo basta tener en cuenta el poema latino *Waltharius*, escrito en el siglo X por Ekkehard, monje de Saint-Gall, y enfrentar este poema con el romance español. Según el erudito italiano G. Chiri, el monje Ekkehard no sigue ningún poema popular, sino que sacó la trama de su *Waltharius* de la propia fantasía, apoyándose acaso en una desconocida crónica docta (21); por otra parte, el profesor de California S. G. Morley supone que algún monje español debió de conocer el poema latino, y siguiendo ese texto, introdujo en España el relato heroico de Walther, imitado después en el romance de *Gaiferos* (22). Y nada más hay que pensar.

Frente a la seductora simplicidad de este proceso, el criterio tradicionalista encuentra mucha mayor complicación, que le ofrecen varios textos no tenidos en cuenta por la simplista explicación anterior. Chiri escribe como si no hubiese existido el poema anglosajón *Waldere*, dos siglos anterior al *Waltharius*; pero en ese *Waldere*, a pesar de no conservarse de él sino dos breves fragmentos, se ve el mismo asunto que en el poema latino, aunque con alguna variante de importancia. En el poema

---

(21) G. CHIRI, *L'Epica latina medioevale e la Chanson de Roland*, 1936, págs. 108 y sigs.

(22) En *University of California Publications in Modern Philology*, XIII, 1925, pág. 224.

de Ekkehard, Walthario, hijo de Alphere, y su prometida Hildegunda, se fugan de la corte de Átila, llevándose gran parte del tesoro del huno; al pasar por la tierra del rey franco Gunthario, éste, con Hagano y otros once de sus guerreros, asaltan a los fugitivos para apoderarse del tesoro, pero Walthario vence a sus atacantes y llega a su patria, la Aquitania, donde celebra sus bodas. Pues bien: en los fragmentos del poema anglosajón aparece el mismo Waldere, hijo de Aelfhere, que combate con el mismo Günther y con el mismo Hagen; Hildegunda (si bien su nombre no se halla en esos pocos versos conservados) anima a Waldere para que siga esgrimiendo la fuerte espada Mimming, forjada por el mágico Weland... Hasta hay una coincidencia verbal: *Welandes worc* (esto es *Welands Werk*) se dice en *Waldere*, y *Welandia fabrica* se dice en *Waltharius* (verso 965) (23). De manera que el monje de Saint-Gall no sacó de su cabeza la trama de su *Waltharius*, sino que se limitó a poner en versos latinos, con un personal sentido artístico muy elevado, es cierto, una leyenda ya poetizada en una lengua germánica y en modo muy semejante, según se comprueba en el *Waldere* anglosajón.

Pero a pesar de la estrecha semejanza entre el *Waldere* y el *Waltharius*, se nota una diferencia

---

(23) Véanse los fragmentos del poema anglosajón y su traducción alemana en la edición de *Waltharius*, por KARL STRECKER, Berlín, 1907, págs. 94-99, y GUSTAV NECKEL, *Das Gedicht von Waltharius manu fortis*, en *Germanisch-Romanische Monatsschrift*, IX, 1929, págs. 209 y sigs.

grave: para el monje de Saint-Gall, Gunthario es el rey de los francos, mientras en el poema anglosajón es rey de los burgundios, y esto último es lo conforme con la historia, pues se trata del Gundicarius, bajo el cual fué destruído el primer reino de los burgundios en 437 (es el burgundio Günther de los Nibelungos); para Ekkehard el rey de Burgundia es Heririco, padre de Hildegunda. Se ve, pues, que la versión de Saint-Gall es más refundida, más apartada del verismo histórico primitivo que la versión anglosajona. Posible es que Ekkehard hubiese alterado por su cuenta esto, pero, como no se descubre razón ninguna artística que para ello tuviese, hay que achacarlo al descuido de cualquier refundidor germano anónimo, y no al docto monje de Saint-Gall. De cualquier modo que sea, la sencillez del individualismo fundada en los pocos documentos que conoce, resulta ser una hipótesis de simplismo arbitrario e inaceptable. Tratándose de una obra tradicional, no basta contar con el genio de un poeta; la creación poética del monje de Saint-Gall depende de creadores que le precedieron poetizando una leyenda germánica multisecular poetizada en otros pueblos, cuyas versiones es preciso tener en cuenta.

A la exclusiva invención de Ekkehard debemos, sin embargo, atribuir otra variante de importancia: su Hildegunda no es una mujer animosa, que infunde a su prometido aliento en el combate, como hace la del poema anglosajón, sino tímida, sumisa en todo a la voluntad de Walther, respondiendo al tipo cristiano-latino de la femineidad que el monje quiere proponer en sus versos.

Posteriores a Ekkehard son conocidas otras redacciones de la leyenda, desde el siglo XI al XIV, en los países del Norte. Nos importa recordar algunas variantes. En el *Biterolf*, poema medio-alto-alemán, compuesto a mediados del siglo XIII, donde se trata de "Walther de España" (denominación que le dan igualmente otros poemas), en unas palabras de Hildegunda la escuchamos jactarse de que ella escanció el vino a Átila y cabalgó huyendo de los hunos por ella tan odiados. Estas palabras nos revelan que el monje Ekkehard, quien frente al poema anglosajón muestra haber dulcificado el carácter de Hildegunda, ahora frente al poema alemán vemos que no quiso atribuir a una joven modesta y modosa la astucia de embriagar a Átila y a los magnates hunos, ni gustó de que cabalgase a la grupa con su prometido, y así en el poema latino es Walther quien escancia el vino a los hunos hasta la embriaguez, y la Hildegunda latinizada no cabalga, y sólo lleva por la rienda el caballo cargado con el tesoro robado a Átila (24) ; los dos desposados hacen a pie su huída, deliciosamente idílica, hasta que al llegar al reino franco se ven asaltados.

También hemos de apuntar la variante que hallamos en la compilación noruega del siglo XIII *Thidrekssaga*, donde Átila, cuando despierta de su embriaguez en el banquete y se da cuenta de la

(24) Observación del citado G. Neckel.

huída de Walther y de Hildegunda, envía a perseguirlos doce guerreros, entre ellos Högne (Hagen). El poema latino supone que Walther se aleja sin ser perseguido, y sólo cuando entra en el reino franco de Gúnther se ve acometido y perseguido por éste con Hagen y demás guerreros francos.

Estas variantes nos son necesarias para tratar la segunda parte de nuestro problema. El simplismo individualista no las tiene en cuenta para juzgar los orígenes del romance de *Gaiferos*, que desde el siglo XV vive hoy todavía en Castilla, Cataluña y Portugal, ni tiene en cuenta otro romance, el de *La Escriveta*, que hoy vive en Cataluña, en el Languedoc y en el Piamonte; los dos romances tratan, cada uno a su manera, la fuga de los dos desposados, su persecución y su llegada victoriosa a la patria, en términos muy semejantes, en general, al *Waltharius* latino. Pero junto a las semejanzas hay que tener en cuenta ciertas discrepancias por las que vemos que ni el monje efectivo de Saint-Gall, ni el supuesto monje de Castilla que tradujese el *Waltharius* latino, no sirven aquí de nada; es preciso suponer una versión distinta del tema, para explicar los dos romances conservados en las dos tierras, hispana y languedociana, que fueron la patria de Walther. Según *La Escriveta*, la doncella es la que hace dormir al moro para huir, después de robarle las riquezas y, con su esposo, huyen los dos a caballo; *La Escriveta*, pues, no deriva del *Waltharius* latino, sino de un Walther semejante en esto al del *Biterolf*. Según *Gaiferos* y *La Escriveta*, el moro, al saber la fuga, emprende la persecución de los fugitivos; luego el *Walther* de que derivan ambas canciones modernas se asemejaba a la variante de la *Thidrekssaga*, y no a la del *Waltharius* latino. Según el *Gaiferos*, la doncella anima a su esposo para que combata con los perseguidores y le infunde confianza en su caballo o en su espada; como en el *Waldere* anglosajón, opuesto al *Waltharius* latino.

En suma: para la vida del tema de Walther de España, el criterio individualista no necesita ver otra cosa que la creación artística de Ekkehard y suponer la traducción de Ekkehard por otro monje erudito cualquiera en España, que transmite el tema al autor del romance. Tres individuos le bastan.

El tradicionalismo comienza por colocar antes de Ekkehard un poema alemán que supone uno o quién sabe cuántos autores sucesivos. Después ve que el *Waltharius* de Ekkehard queda fuera del problema; es una de tantas refundiciones tradicionales, pero se sale fuera de la línea tradicional que irradia hacia España, alguno de cuyos rasgos se hallan esparcidos acá y allá en el *Waldere* anglosajón, en el *Biterolf* medio-alto-alemán y en la *Thidrekssaga* noruega. Un héroe visigodo, Walther, de la época en que los héroes interesaban a todos los pueblos germanos en su heroica edad de expansión por Europa, no pudo quedar sin cantos entre los visigodos; la gesta de "Walther de España" o "Walther de Aquitania", cantada en todos los países germánicos, lo mismo en el siglo VII, que en el siglo XIII, debió de ser cantada en el reino visigodo, tanto en España, donde hasta hoy se canta el romance de *Gaiferos*, como en la Aquitania, donde hoy se canta *La Escriveta*. Tenemos que suponer un poema de *Walther* cantado en el reino visigodo de Occidente, semejante en algo al poema anglosajón y a las variantes alemana y noruega; hemos de suponer también una versión románica cantada durante varios siglos en los países surgidos sobre las ruinas del reino visigodo; y, por último, esa versión románica produce una elaboración del romance de *Gaiferos* y otra del romance de *La Escriveta*. Todo esto supone, en vez de los tres individuos, muchos refundidores, poetas anónimos cuya imaginación se deleitó en el cambiante cabrilleo del río tradicional que a través de los siglos murmuraba la canción de la aventurada y venturosa huída de Walther y de Hildegunda. Esta hipótesis es complicada, pero es la única que responde a las preciosas y venerables ruinas conservadas en el campo de la tradición, ruinas que el individualismo quiere ignorar por completo; hipótesis complicada, ciertamente, pero los procesos del pensar y del imaginar humano son complicadísimos y no se dejan reducir a un cómodo simplismo.

Un tema de los godos de Oriente que sobrevive en España

Situémonos, por último, en época más antigua que la constitución del reino godo occidental.

Además de la de Walther, otras leyendas comunes a los pueblos germanos formarían parte del tesoro tradicional traído por los visigodos a España; la leyenda de los Infantes de Lara nos diría algo sobre tradiciones referentes a Hermanrico y los Harlungos, o sobre ficciones añadidas al final de los Nibelungos, el vengador hijo de Hagen; pero sería materia disputada y larga que ya no es ocasión de tratar ahora. En cambio, toda razonable disputa se excluye respecto a otra leyenda peculiarmente goda, sólo goda, que voy a poner aquí como remate; es el plato fuerte de mi argumentación en este docto simposion spoletino.

Hemos visto arriba que Jordanes conocía una leyenda según la cual los godos estuvieron sometidos a servidumbre, hasta que cierto héroe los libertó por modo tan extrañamente singular que, al historiógrafo le parece "cuento de viejas", y lo desecha en términos exactamente iguales a los que en el siglo XIII emplea Alfonso X para desmentir otras leyendas épicas de los juglares.

Esa fábula, corriente entre los godos del Oriente, contaba que los godos, antes de habitar en la cuenca del Danubio, habían estado reducidos a servidumbre (Jordanes ni siquiera se detiene a decirnos por quién), en una isla, Britania u otra, y que cierto personaje (Jordanes no se digna nombrarle) los había libertado por el precio de un caballo, *unius caballi praetio*. Notemos aquí que la liberación no se consigue a cambio de un caballo, o mediante la entrega de un caballo, sino "por el precio de un caballo", destacando el *precio* como algo esencial. Pero, ¿cómo puede estipularse el precio de un caballo de modo que su cuantía llegue a ser bastante para libertar a todo un pueblo, redimiéndole de servidumbre? La solución del enigma la encontramos en la gesta del conde de Castilla Fernán González, al cual la *Crónica najerense,* hacia 1150, presenta como héroe de quien "*se dice* que sacó a los castellanos de bajo el yugo de la dominación leonesa", esto es, igual liberación que el personaje anónimo procuró a los godos; y ese *se dice* najerense, *dicitur,* por más que la crítica individualista eche a un lado tan molesta salvedad que a menudo ocurre en las *Crónicas,* introduce siempre algo dificultoso de creer. La *Najerense* no se detiene a más, pero nos indica que calla un cuento de viejas como el que desecha Jordanes; y he aquí cómo el conde Fernán González sacó a los castellanos del yugo leonés, según el *Poema de Arlanza,* hacia 1250:

El rey de León se encapricha por el soberbio caballo de su vasallo el conde de Castilla, y consigue que se lo venda por el precio corriente de mil marcos; el conde sólo impone una condición, que el precio ha de ser pagado en día fijo, y que, según dice el citado poema (25),

> si el aver non fuesse aquel día pagado,
> siempre fues' cada día al gallarín doblado.

Duplicada así la cantidad cada día "al gallarín", es decir en progresión geométrica, un retraso en el pago hace que el precio suba a cifras tan enormes

(25) Copla 582, en mis *Reliquias de la poesía épica,* 1951, págs. 123 y 163.

que son imposibles de satisfacer, y el rey de León no puede pagar el caballo sino declarando el condado libre de toda servidumbre de vasallaje: "e así fueron libres los castellanos de servidumbre de León e de los leoneses" (26). Las palabras "fueron *libres* de *servidumbre*" que usa el poema castellano del siglo XIII son las mismas que usaba Jordanes para los godos en Oriente, "in *servitute* redactos... a quodam *ereptos*", según el cuento de viejas, o mejor canto de viejos, dado el asunto nacional impropio de viejas.

La excepcional importancia de este relato consiste en su extraña singularidad. Otras dos leyendas cualesquiera que manejan episodios de tradiciones, homicidios, adulterios, venganzas sanguinarias, combates, comunes a casi todas, no se revelan parientes entre sí, si no coinciden en la combinada sucesión de esas escenas con detalles accesorios idénticos y, como hemos dicho, son leyendas que suelen hallarse más o menos semejantes en varios pueblos a la vez, siendo materia de disputa la relación que entre unas y otras versiones pueda establecerse. Pero un tema raro, extravagante, la liberación de un pueblo mediante el precio de un caballo, no puede ocurrirse dos veces independientemente a los godos del Oriente europeo, historiados por Jordanes en el siglo VI, y a los castellanos

---

(26) *Primera Crónica general* y *Crónica de 1344*, en las *Reliquias*, págs. 156 y 170, prosificando la parte perdida del *Poema de Arlanza*.

historiados por la *Crónica najerense* y poetizados por el monje de Arlanza en los siglos XII y XIII.

La crítica, que no sabe o que no está muy segura de tradiciones colectivas milenarias, puede asustarse de los seiscientos años que median entre la una y la otra de estas dos manifestaciones legendarias, para dudar de la relación genética entre ambas (27) ; pero aquí no es posible la esterilizante hipercrítica.

Viene, además, en apoyo una consideración arqueológica. No nos fundemos ya en el común sentirse godos los reyes y los hidalgos de Castilla; atendamos al particular testimonio de los hallazgos arqueológicos, los muchos cementerios godos encontrados desde Amaya hasta Toledo; estas necrópolis hacen de Castilla el verdadero solar de la raza goda en España, diciéndonos que el pueblo godo descrito por Jordanes es base étnica del pueblo castellano poetizado por el poema de Fernán González, y no nos permiten duda alguna sobre la relación genética que une la fábula del caballo,

---

(27) Me refiero al ilustre profesor de Oxford W. J. Entwistle, en *Modern Language Review*, 1934, págs. 471-472, quien, haciendo concesiones excesivas al antitradicionalismo, conviene en que la repetición del raro tema del caballo sirve de apoyo a mi teoría sobre el origen gótico de los cantares de gesta, aunque no excluye la *posibilidad* de otras hipótesis. Posible puede ser todo, claro es, pero resulta increíble de todo punto que el consabido monje, de que quisieran echar mano los individualistas, hubiese leído a Jordanes (!) y sobre las tres palabras "unius caballi praetio" se hubiese lanzado a inventar la venta al gallarín (!!).

canto nacional de la libertad de los godos en Oriente, y la fábula del caballo, canto nacional de la libertad de los castellanos en España.

La única duda que cabe es sobre si el viejo canto gótico, perpetuado en lengua romance hispana, se conservaba en forma fija y métrica o en forma libre de leyenda prosística; si era un canto viejo o un cuento de viejas. Esto segundo es desechable. Es ley de la novelización épica, ley constante siempre, que en la evolución de los breves romances orales los pueblos y los ejércitos de los poemas extensos desaparecen para quedar representados por simples individuos (28), así que en la evolución de una simple conseja oral sobre la inflación del precio de un caballo, se perdería muy pronto su aplicación política a la libertad de un pueblo, para sustituirla por su aplicación concreta a un individuo que lograse mediante esa inflación una enorme ventaja personal. El cuento fabuloso del caballo vendido a tan caro precio, sólo pudo conservar su sentido nacional si estaba fijado inalterablemente de algún modo; pero si supusiéramos que estaba en prosa, fijado y transmitido por la escritura, supondríamos que existía un género tradicional de sagas, que no existió en el Occidente europeo. En cambio, sabemos muy de cierto que los temas historiales, fijados bajo una forma versificada, per-

---

(28) El Romancero nos da muchos ejemplos de simplificación de móviles y actos colectivos reducidos a móviles y actos individuales; véase *Romancero hispánico*, 1953, I, páginas 196, 228 (Helo, helo por do viene), 230 (A cazar va don Rodrigo), 234 (Afuera, afuera, Rodrigo), etc.

sistían, entre los varios pueblos del Occidente europeo, muy arraigados en toda la Edad Media.

No hallaremos posible otra explicación sino la de una continuidad ininterrumpida en repetir el canto fabuloso referente al pueblo redimido de servidumbre. Los citaristas godos, que en el siglo VI y en el imperio bizantino-itálico de Justiniano provocaban el desprecio de Jordanes, legaron ese canto nacional a los godos venidos a España, a quienes, en el siglo VII, en su época de bilingüismo germano-románico, recomendaba San Isidoro que cantasen a la cítara los cantos de los antepasados; es necesario suponer que el extrañísimo canto del caballo libertador fué repetido entre los godos cuyos restos hoy descubrimos en las necrópolis excavadas en los valles del Pisuerga, del Duero, del Duratón, y que, a comienzos del siglo X, los lejanos descendientes de esos godos, los cedreros castellanos, refundían a su vez el fabuloso canto, cuando uno de ellos tuvo la idea antileonesa de transferirlo al conde Fernán González, de glorioso recuerdo entre los juglares de cedra. Estos juglares continuaron hasta en el siglo XIV repitiendo, entre los hechos históricos y legendarios del famoso conde, el episodio del caballo vendido al rey de León.

La crítica que no tenga ojos para ver esta trabada serie de refundiciones durante nueve y más siglos no entenderá rectamente lo que son los cantares de gesta, las *chansons de geste*.

En conclusión, el extravagante tema de la libertad de un pueblo por el precio de un caballo, tema que en todo el universo literario no aparece sino entre los godos orientales en el siglo VI y entre los juglares castellanos del XIII, no es un simple indicio, es una positiva demostración de la invisible cadena tradicional que enlaza las *carmina prisca* de los godos con los cantares de gesta castellanos.

CONCLUSIÓN. — LOS CANTOS GODOS RESUENAN A TRAVÉS DE TODA LA LITERATURA ESPAÑOLA

Y ahora, en conclusión, ¿qué decir del tan discutido valor histórico de los godos en España, y de aquel orgullo de goticismo hispano a que nos hemos referido?

Contra ese orgullo se enfadaba, allá en el sur de Italia, el Galateo, en su tratado *De educatione* (1505); viendo invadido el reino de Nápoles por las costumbres y usos de los españoles, tacha a éstos de rudos e incultos, muy hinchados de esa *superbia gothica,* que les lleva a gloriarse de ser descendientes de los godos, con singular ingratitud hacia Roma, la Roma que había civilizado la antigua Hispania, ennobleciendo la sangre ibérica con la sangre romana (29).

Sobre esta exigencia de gratitud hallamos, en apoyo a la queja del Galateo, que los godos, cuando entraron en España, estaban ya muy romanizados, como ninguna de las otras estirpes germá-

---

(29) Véase en B. CROCE, *La Spagna nella vita italiana,* 1917, pág. 112.

nicas lo estaba; vemos, en consecuencia, que la lengua latina en España no sufrió de parte de la lengua goda presión ninguna apreciable, como sufrió la lengua francesa; la idea estatal del imperio romano se impuso dentro del mismo estado visigodo; el derecho romano dominó en la legislación visigoda y triunfó después sobre las costumbres germánicas; el cristianismo romano anuló el arrianismo godo; las ciencias y las artes nada se ve que deban a los godos, etc., etc. Bien podrá creerse, pues, que los godos quedan excluídos de todo influjo sobre el pueblo español.

Así, mientras los francos hicieron de la Galia una *Francia*, los godos no hicieron de la Iberia una *Gotia*, como soñaba hacer Ataúlfo en sus años juveniles, antes de romanizarse casándose con la hija de Teodosio; siguiendo el pensamiento más maduro de Ataúlfo, cautivado al fin por los altos ideales de su regia cautiva Placidia, los godos respetaron y apoyaron la romanidad de España. Mas, sin embargo, si no dieron a la Hispania el nombre de Gotia, en compensación lograron crear en el ánimo de los españoles esa *superbia gothica* que tanto amostazaba al Galateo, y que es una constante llamada a nuestra atención para que estudiemos las huellas que el goticismo romanizado o la romanidad gotificada han podido dejar en la vida posterior de España.

Esas huellas en la literatura son hondas y perdurables. La crítica se sintió maravillada ante la antología de Antonio Restori, que en torno a la leyenda heroica del Cid reunió composiciones de todos los géneros y de todas las épocas de la literatura española. Igualmente, sin salir de una leyenda de tipo germánico, la de los Infantes de Lara, o en torno a otra puramente goda, la del rey Rodrigo, he podido historiar todas las grandes vicisitudes de las letras hispanas en todos los tiempos.

Bien se demuestra así algo que parece paradójico: los godos, cuya literatura ignoramos totalmente, influyeron en modo persistente y profundo sobre toda la literatura española, dando vida a un género poético que no es como los demás: la epopeya que vence a la muerte, un género cuyo espíritu transmigra a fines de la Edad Media al romancero, y más tarde renace en el teatro nacional, reviviendo después en la poesía poemática, en el drama, en la novela de la época moderna.

PROBLEMAS DE LA POESÍA ÉPICA

Las páginas siguientes contienen el texto de la conferencia pronunciada en el "Instituto Español" de Roma, la tarde del 11 de diciembre de 1951

I

PROBLEMAS DE LA POESÍA ÉPICA

I

Ultimando, como estoy, una historia de la épica española, a cada paso tropiezo con cuestiones muy debatidas sobre la fecha de los varios textos estudiados, sobre las relaciones mutuas de estos textos, sobre sus fuentes, sobre su carácter, su valor, etc., y veo que todas estas discusiones particulares no tienen verdadero sentido ni claridad si no se las refiere a una discusión de carácter general entre dos concepciones literarias opuestas, dos teorías en pugna.

Una teoría piensa que, entre las varias formas de arte existentes, hay una forma de arte tradicional, en la que el gusto literario es profundamente colectivo. El autor de cada obra es anónimo por esencia, porque él, individuo, se sumerge en la colectividad. Por esta forma de arte tradicional y anónimo comienzan históricamente todas las literaturas.

La otra teoría considera siempre, en todo caso, predominante la individualidad del artista, del poeta, el cual, si es anónimo, lo es por pura casualidad. El influjo de la colectividad sobre el artista es meramente accidental, sin trascendencia. Todas las literaturas se inician por una obra genial que abre caminos nuevos.

Hoy predomina esta teoría individualista. Predomina muy naturalmente en Italia, donde el genio individual se ha distinguido siempre con las más sobresalientes manifestaciones y donde los productos de un arte tradicional pueden bien ser mirados como cantidad insignificante y prescindible; por eso vengo con temor a exponer aquí algunas opiniones tradicionalistas, temor que se suma al inconveniente de apuntarlas en jirones, rápida y fragmentariamente, en los cuarenta minutos de una conferencia.

El punto principal de discrepancia entre las dos teorías está en apreciar el carácter histórico de la épica medieval.

Sobre este punto se han querido ver elementos míticos en la leyenda de Roland, en la del Cid, en la de los Infantes de Lara. Lucubraciones extravagantes de las que no vale la pena ocuparse. La epopeya francesa y la española tratan únicamente temas históricos; lo discutible es el origen y valor de esa historicidad: si procede inmediata o mediatamente de los sucesos reales a que la poesía se refiere.

La teoría tradicionalista cree que la epopeya en su origen se basa en una impresión directa de los hechos históricos, fijada en forma poética cuando aún está fresca la memoria de esos sucesos, y que luego, conforme el poema se propaga a tiempos sucesivos, va alejándose de su veracidad inicial. Así en la redacción primera del cantar épico hay un fuerte elemento histórico que procede del recuerdo directo de los sucesos acaecidos.

Por el contrario la teoría individualista supone que el poema nace siglos después de los sucesos que trata; la epopeya es un género tardío, cuya historicidad viene a ser una evocación semejante a la que se hace modernamente en la novela cuyo argumento se toma de una crónica o historia. Esta teoría desestima el elemento histórico de los poemas épicos medievales, pues cree que sólo consiste en alguna escueta noticia sobre un suceso lejano que el poeta sacó de un cronicón, de un documento, de una leyenda oral. En *Los tres mosqueteros,* dice Maurice Wilmotte, hay más de cincuenta personajes históricos, y nadie va a buscar en Alejandro Dumas datos históricos.

Según la concepción tradicionalista, nace el cantar de gesta para noticiar y conmemorar hechos actuales. La épica francesa ofrece de ello un viejísimo testimonio, hoy muy desacreditado por la crítica individualista, pero que creo oportuno traerlo a comparación con otro testimonio posterior.

A comienzos del siglo XII se escribe una tardía canción de gesta, *Antioche,* para dar a un público callejero noticias de la conquista de Antioquía en la primera cruzada. No se nos conserva en su redacción primera, sino refundida por Graindor de Douai, que la versificó de nuevo, pasándola de asonantes a consonantes. Este refundidor alega una vez la autoridad del autor primero, al enumerar los combatientes sarracenos en la última batalla: "Había allí noventa reyes; bien lo supo el que hizo la canción, Ricardo el Peregrino, *Richard li Pelerins*, de quien nosotros la tenemos." Tal Peregrino, y a la vez juglar, sabemos que era contemporáneo de los cruzados conquistadores de Antioquía, porque sabemos que a uno de ellos, al valeroso Arnoldo el Viejo, señor de Ardres, le había pedido este juglar unas calzas de escarlata, y no habiéndoselas dado, se vengó, callando en la *Chanson d'Antioche* el nombre de ese señor entre los que se distinguieron en la conquista de la ciudad siria; anécdota consignada por el cronista Lamberto de Ardres.

Pues bien: ese Ricardo el Peregrino creo que arroja plena luz crítica sobre el viejísimo testimonio antes aludido. La canción de *Raoul de Cambrai*, lo mismo que la canción de *Antioche*, llegó a nosotros tan sólo bajo la forma de una refundición en consonantes hecha a fines del siglo XII. Se refiere a hechos históricos mucho más antiguos, feroces luchas feudales ocurridas en 943. En un pasaje célebre de ese poema de *Raoul de Cambrai*, cuando va a comenzar la sangrienta batalla de Origny, Bernier, antes escudero del protagonista Raoul y ahora enemigo, maldice al que huya de la pelea, y el juglar continúa: "Bertolai dice que hará canción de ello, y jamás cantará otra mejor ningún juglar"; a lo cual añade en la estrofa siguiente: "Bertolai fué valiente y entendido, natural de Laon y de los mejores en linaje; él vió los más grandes hechos de la batalla; hizo de ellos canción que jamás oiréis otra mejor y que ha sido escuchada en muchos palacios."

Cuantos conciben la epopeya como poesía tradicional (Gastón Paris, Milá, Augusto Longnon, Ferdinand Lot, Karl Voretzsch, etc.) no ven razón ninguna para poner en duda el dato, tan preciso, de este Bertolai de Laon, noble guerrero y a la vez narrador juglaresco de la batalla en que tomó parte. La teoría tradicionalista se hallaba en la tranquila posesión de este dato, hasta que la teoría individualista sintió de él inquietante molestia y lo juzgó increíble, pues contradecía la opinión antitradicional de que las canciones de gesta no nacen sino a fines del siglo XI o comienzos del XII. Bédier, a fin de afirmar el origen tardío del *Raoul de Cambrai,* escribió un largo y docto estudio suponiendo que Bertolai no existió, y que la canción no pudo tener origen en el siglo X. Con ese objeto Bédier se aplicó a descubrir errores históricos en el poema, notando que equivoca el nombre de varios personajes, que el parentesco indicado entre algunos de ellos es inexacto, que describe como personas ancianas las que en realidad eran jóvenes, que sitúa en primavera tal escena que sabemos ocurrió en invierno, etc.; y todos estos errores los achaca a Bertolai, para concluir que es inconcebible la existencia de ese primitivo cantor coetáneo que tantas inexactitudes comete. Pero todo esto es cerrar los ojos a las alteraciones que cada refundición acarrea: es no tener en cuenta que el poema primitivo, del siglo X, tuvo que ser de muy breve narración (los viejos relatos españoles no solían pasar de 500 ó 600 versos) y que el primitivo *Raoul de Cambrai,* al ampliarse en las refundiciones hasta exceder de los 5.500 versos que cuenta la redacción de la segunda mitad del XII, tuvo que recibir multitud de incrementos arbitrarios, según vemos en los poemas que conocemos en varios estados sucesivos. Nada de esto se tiene en cuenta, y el hecho es que Bertolai ha caído en descrédito aun entre algunos que niegan a Bédier esa fecha tope del siglo XI al XII y sostienen que los orígenes de la épica deben buscarse más atrás. Otros, naturalmente, como Ferdinand Lot y Karl Vorestzsch, repudian los argumentos de Bédier y continúan dando crédito a Bertolai, a lo cual yo añadiré la comparación antes aludida: Richard le Pèlerin, porque escribió en el siglo XII no estorba a nadie; los más decididos partidarios del individualismo bédierista, los que niegan a Bertolai el derecho de haber vivido, por ejemplo Edmond Faral, dejan vivir en paz con pleno crédito al pobre Richard, como cantor de hechos coetáneos; es un juglar de tantos que no consigue vestirse unas calzas de escarlata, y no hay para qué sacar a luz los errores históricos de su refundidor. Bertolai de Laon, en cambio, porque escribe en el siglo X, resulta insufrible para quien cree que se deben retardar las fechas de la épica; no puede tolerarse en época tan remota un autor de gesta coetáneo de los sucesos cantados, y mucho menos si representa el juglar guerrero, propio de la edad heroica; hay que acabar con él, cueste lo que cueste, pues rebasa el límite preciso entre los siglos XI y XII, más atrás del cual no ha de fecharse en lo futuro trabajo ninguno, según establece Bédier segura y arrogantemente.

Y la verdad del caso es que Bédier en sus prolongados trabajos a fin de presentar como verosímil su siempre repetida hipótesis de los monjes que consultan las escrituras del archivo para ilustrar a los juglares, no halla para el *Raoul de Cambrai* suficientes los documentos conservados y tiene que suponer que existieron otros. Supone documentos perdidos, ¡él, que tacha de ilegítima la suposición de otros poemas distintos de los existentes, aunque, claro es, tenga también que suponerlos él, con tal que no sean anteriores a la fecha tope del siglo XII! Mas por último la realidad viene a ser que al final de tan laboriosa discusión, al final de las 120 páginas dedicadas al *Raoul de Cambrai*, Bédier confiesa que deja sin explicar la presencia de dos personajes históricos en el poema. ¡Como si esto fuera una pequeñez! Es Bertolai que levanta la cabeza presentándose como única explicación posible. En fin, no hay razón suficiente para negar a la cita de Bertolai de Laon el crédito que se da a la cita de Richard le Pèlerin, dos testigos presenciales, nombrados en iguales circunstancias, no al comienzo del poema como autores del total, sino en medio del relato, para autorizar un pasaje particular. Bertolai de Laon reclama igual asenso que otros autores del siglo XII, citados con nombre preciso, Jendeus de Brie para la *Bataille Loquifer*, Guillaume de Bapaume para el *Moniage Rainouart*, y tantos otros de cuya existencia real nadie duda, porque no son testigos del hecho histórico y no estorban a la teoría antitradicional. Bertolai, noble combatiente y a la vez poeta de una guerra en el siglo X no es más increíble que un don Alonso de Ercilla noble combatiente en el siglo XVI. Si *La Araucana* es en algunos episodios más verídica que el *Raoul de Cambrai*, esto se debe a que llegó a nosotros en su estado original, sin sufrir ninguna refundición.

La teoría individualista no puede explicarnos de dónde los juglares del siglo XII iban a sacar los nombres de oscuros personajes históricos que manejan en sus poemas. Ya vemos que los archivos monasteriales no bastan para explicarlos. Pero aunque bastasen, ¿a qué fin iban a molestarse los monjes ni los juglares en exhumar esos olvidados nombres del siglo X, que en el XII nadie conocía ni a nadie importaban lo más mínimo?

M. Wilmotte desacreditaba el elemento histórico de la épica recordando los cincuenta personajes históricos que intervienen en *Los tres mosqueteros*. Pero es preciso distinguir de colores, y ver que la presencia de tantos personajes históricos en el *Raoul de Cambrai*, y sobre todo la presencia de esos dos para los cuales no prestan ayuda los archivos, encierra un problema que la obra de Alejandro Dumas no suscita. Y cuéntese que los cantares de gesta españoles aclaran esta cuestión mucho más decisivamente que las gestas francesas, porque ellos nos ofrecen redacciones más originarias, y refundiciones donde se fantasea menos que en las francesas. *Los tres mosqueteros*, la novela histórica en general, se escribe fundándola en una historiografía copiosísima que rebosa y excede a lo que el literato utiliza en los sucesos y personajes de tiempos pasados por él mezclados a la ficción, mientras el *Romanz del Infant García*, por ejemplo, el cantar de gesta que cuenta el asesinato del último conde de Castilla, se compone cuando la historiografía no existe; los personajes de ese *romanz*, salvo los de la familia real, no son mentados por los escuálidos cronicones de entonces, y sólo podemos averiguar que existieron realmente cuando descubrimos sus nombres, después de escrutar centenares de diplomas, dispersos en múltiples archivos que el monje o el juglar más ratón de biblioteca será incapaz de consultar. De igual modo, los 29 personajes históricos que figuran en el *Poema del Cid* no es posible explicarlos sino suponiendo que el poema fué escrito muy poco después de muerto el héroe; no existió ni pudo existir crónica alguna de esos tiempos que contuviera tales nombres. La teoría individualista, en este caso representada por el profesor de la Universidad de Milán Nicola Zingarelli, suponiendo que el poema toma esos nombres en la *Crónica general* del siglo XIII, se pierde en evidentes anacronismos ya señalados por Giulio Bertoni, y concluye en varios despropósitos que he denunciado en otro trabajo. En suma, la novela histórica es un conocido producto de la historiografía; mientras el cantar de gesta nace como sustitutivo de la inexistente historiografía, cuando, a falta de amplios relatos en prosa, se daba noticia de los sucesos importantes en el canto que los popularizaba como hacía Bertolai, primer cantor del *Raoul de Cambrai.*

Esto nos lleva a decir algo de la edad heroica.

La teoría individualista no se preocupa de explicar por qué esas que cree novelas históricas del siglo XII al XV se fijan todas en sucesos famosos o insignificantes de los siglos VIII al X; qué violento furor de moda pudo lanzar a tantos poetas franceses de la baja Edad Media a tratar sucesos de la alta Edad Media y no los sucesos más recientes. La teoría tradicionalista piensa que esos remotos siglos pertenecen a una edad heroica en que se dan condiciones especiales para que la epopeya, cantora de héroes nacionales, viva y se desarrolle; y piensa que los relatos de esos siglos remotos perduraron en moda durante los siglos de la baja Edad Media.

¿Qué edad es esa en que un pueblo engendra y consagra poéticamente a sus héroes? A comienzos del siglo XIX, Wilhelm Grimm, atendiendo a la epopeya románica, pensaba que la fermentación épica se produce cuando en un pueblo ocurre la formación o reformación de su conciencia nacional; Carlomagno creó a Francia, el Cid dió seguridad a España contra los árabes, y ambos produjeron una poesía nacional en uno y otro pueblo. Después, en el último cuarto del mismo siglo XIX, Pío Rajna formula otro concepto de la edad heroica y cree que la epopeya necesita un ambiente de barbarie, pero sólo se desarrolla cuando la barbarie llega a sobrevivir ampliamente en períodos de intensa cultura; sin la barbarie medieval, no hubiera existido la epopeya francesa, y la germánica sólo nos habría dejado algunos vagos recuerdos. Más tarde, a comienzos del siglo XX, W. P. Ker, lo mismo que H. M. Chadwick, atendiendo a la épica griega y a la teutónica, piensan que la edad heroica es, ante todo, edad primitiva, anárquica, sin un organismo político robusto que coarte el esfuerzo prepotente del individuo, edad en que tiene campo libre la acción del hombre descollante, cuyo orgulloso anhelo de gloria y cuya ambición de tesoros dominan todos los otros móviles; edad en que los intereses y los vínculos personales preponderan en toda la vida nacional y la determinan. Así, según la mirada se dirige a uno o a otro campo, se caracteriza la edad heroica como edad de crisis que sublima al héroe formador de la nación, o como estado de barbarie que permite el florecimiento de una planta inculta, o como época anárquica que exalta al héroe, cohibiendo la vida nacional.

Nunca saldremos de esta contradictoria variedad de aspectos, todos más o menos exactos según los casos, si no consideramos ante todo que la epopeya es barbarie anárquica. Lejos de eso, es un estado de cultura propio de ciertos pueblos que, conscientes del sentido de su existencia, necesitan recordar literariamente los sucesos de su presente y de su pasado. Habremos de considerar la epopeya como un género literario, aunque muy especial, y habremos de buscar para la edad heroica, en que la epopeya nace, un carácter distintivo esencialmente literario. La edad heroica, creo yo, es aquella vivida por algunos pueblos que antes de haber desarrollado la prosa historiográfica en lengua vulgar, sienten la necesidad de cultivar su propia historia, y tienen que hacerlo en la única forma literaria entonces existente, en forma poética, en cantos públicos.

Es aquella edad en que todo un pueblo, llevado de un vivo interés nacional bastante unánime, poseído de un sentimiento político cálido y afectivo, más que práctico, requiere una habitual información sobre sus propios acontecimientos presentes y pasados, y no habiendo llegado aún, en su desarrollo cultural, a poseer una literatura regularmente escrita, ni menos un género prosístico historiográfico en lengua vulgar, emplea el metro, la rima y el canto como medios de publicación (en parte más poderosos que la escritura) para fijar y difundir los relatos de interés común. Multitud de noticias cantadas en esa edad parecen efímeras, pero se salvan aquellas que los oyentes eligen, las preferidas del público, y el canto que goza de favor colectivo, refundiéndose de generación en generación, perpetúa al héroe, confiriéndole consagración poética inmortal.

La edad heroica dura aquellos siglos en que un pueblo de epopeya conserva viva la costumbre de divulgar en forma cantada los acontecimientos coetáneos. Pero en el curso de esos siglos, a la vez que la noticia actual, se cantan también los sucesos que fueron noticiados en el pasado y que perduraron en el interés común. Así la epopeya es un género literario hermano de la historia. La epopeya románica es la hermana mayor de la historiografía; nace cuando la historia no existía o sólo se escribía en latín, lengua extraña a la comunidad.

La oposición de las dos teorías en cuanto a la antigüedad de la épica medieval trae complicadas consecuencias en los estudios comparativos.

La pugna de las dos teorías tuvo, durante lo que va del presente siglo, suerte opuesta a un lado y otro de los Pirineos. En Francia el éxito del individualismo fué enorme: el concienzudo examen de una y otra leyenda llega uniformemente a proclamar la misma conclusión, sea sobre *Gillaume d'Orange*, sea sobre *Girart de Rousillon*, sea sobre *Raoul de Cambrai*, sobre *Rolland* o *Renaud de Montauban*, etc.; las canciones de gesta nacen a fines del siglo XI, jamás antes; carecen de valor historial, pues son simples juegos literarios, tardías novelas históricas. En España, al contrario, el tradicionalismo domina: el detenido estudio de los cantares referentes a los *Infantes de Lara* no puede explicar el nacimiento de la leyenda sino en el siglo X; una amplia documentación sobre el *Romanz del Infant García* muestra que el relato poético relativo al último conde de Castilla debió de ser versificado muy poco después del homicidio cometido en León en la persona del joven conde; el estudio de una crónica mozárabe muestra que en el siglo X vivía con perfecta organización poética la leyenda del rey *Vitiza*, reflejo vivo de los últimos estertores partidistas que arruinaron el reino godo; la leyenda de *Fernán González* era ya muy vieja en el siglo XII, y lo mismo que la de los Infantes de Lara o la del Cid, ofrecían una continuada renovación tradicional hasta el siglo XV, prolongada después en el Romancero.

Este éxito opuesto de una y otra teoría trajo un resultado perfectamente lógico. Adalbert Hämel, en una lección sobre la poesía heroica francesa y española, dada en Gotinga el año 1927, concluye que, si según las últimas investigaciones, aprobadas por el mismo Gastón Paris, la epopeya española es muy antigua, y que según la triunfante escuela de Bédier, la épica francesa es de origen tardío, se reduce al absurdo la tan valida opinión que afirma ser la épica española nacida a imitación de la francesa, y se impone la solución contraria: los juglares franceses, a comienzos del siglo XI, hubieron de tomar la forma ruda e irregular de la épica germano-románica en España, y la elevaron a gran altura artística en Francia; esto nos haría comprensible el por qué en Francia no se han conservado documentos de primitiva épica, y tendríamos un hecho análogo al que tantas veces se repite en la literatura francesa, el de tomar elementos de culturas extranjeras, asimilándolos y perfeccionándolos, como sucedió con los temas hispánicos en el siglo XVII, con el pensamiento inglés en el XVIII. La consecuencia que Hämel saca de esta comparación de resultados doctrinales es perfectamente razonable; pero la comparación en sí no es legítima, pues compara dos resultados heterogéneos: del lado francés, los resultados de la teoría individualista, y del lado español, los de la teoría tradicionalista. Dentro siempre del tradicionalismo no se puede sostener que la épica francesa sea posterior a la española.

Fundándose en la antigüedad de los textos españoles, como Hämel, pero no para una hipótesis general, sino concretándose a un caso muy particularmente estudiado por él, el ilustre decano de la Facultad de Letras de Burdeos Georges Cirot llega a la conclusión (1928), ésta ya bien aceptable, de que la vieja leyenda de Fernán González, en su tema de la mujer enamorada a la vez que libertadora del prisionero, sirvió de modelo a la épica francesa que repetidas veces trató este tema novelístico. Y pasando a términos generales, el mismo Cirot expuso reiteradas veces (1925, 1935), su creencia de que el arcaísmo de la epopeya española imponía una revisión de las teorías épicas de Bédier y de sus discípulos.

El resultado positivo es que la teoría individualista, en cuanto cree que la épica española es más tardía que la francesa y que por tanto nace a imitación de la francesa, ha perdido toda su antigua firmeza. Estudiado el problema en general, tanto Max Leopold Wagner (1931) como Arnald Steiger (1926), Karl Voretzsch (1930), Ferruccio Blasi (1938) y otros, asientan la antigüedad y la originalidad de la epopeya española, su independencia respecto a la épica del norte de los Pirineos.

Claro es que, aun teniendo esto por bien sentado, digámoslo para evitar torcidas interpretaciones, es también evidente que las *chansons de geste* influyeron mucho, muchísimo, en el desarrollo de los cantares de gesta, y así, la épica francesa tiene que servir continuamente de guía para la épica española. Pero también es hora de reconocer que a su vez la epopeya española puede ilustrar mucho el conocimiento de la epopeya francesa.

Se distingue la épica española por su excepcional adhesión a formas primitivas de poesía que en otras literaturas románicas fueron abandonadas mucho antes. Esto le da un valor único, constituyéndola en tipo ejemplar para el estudio de la evolución histórica de este género literario. Indicaré uno de los resultados adquiridos.

Al resumir en 1924 el desarrollo de la epopeya española tratamos de sus cantares de gesta breves, con sólo medio millar de versos o poco más, y con verso de desigual número de sílabas, y hubimos de proyectar esta conclusión sobre la historia de la épica francesa: Francia debió de tener, en un período antehistórico, gestas breves y verso irregular. Años después (1933), insistiendo en el estudio de la forma épica, pude confirmar que la forma de asonancia del verso épico español responde a un tipo lingüístico muy antiguo, del siglo X o primera parte del XI, mientras el sistema de la asonancia francesa no revela arcaísmo ninguno de idioma; y en cuanto a la métrica española, su comparación con la métrica irregular de las canciones de gesta anglo-normandas y franco-italianas pudo llevar a la deducción que la epopeya francesa debió de tener también un período primitivo de verso irregular en el número de sus sílabas.

Y no sólo en la parte formal. Los relatos españoles de las mocedades de Carlomagno nos llevan, en 1932, a la conclusión de que la gesta de *Mainet* no nació junto al monasterio belga de Stavelot, sino junto al alcázar de Toledo, nueva oposición a la teoría de los intereses monacales, tan grata al individualismo, oposición fundada en las manifestaciones siempre arcaicas de la épica hispana. En fin, en 1934 pudimos generalizar como resultado de una serie de largos estudios: la épica española es en todo su desarrollo incomparablemente más lenta, más retrasada que la francesa, conservándonos formas y monumentos de tipo mucho más arcaico, por lo cual en ella podemos estudiar más fácilmente los orígenes, que habrán de ser los de la epopeya en general; así, es de presumir que la épica francesa debió de pasar, en sus remotos principios, por etapas semejantes a las que en España duraron hasta los tiempos históricos; entonces pude expresar con confianza: "espero que tarde o temprano nuestra literatura, a causa de su fundamental arcaísmo, habrá de ser aceptada como guía indispensable en estas arduas materias".

Y este valor histórico de la epopeya española es ya reconocido por algunos. El profesor de la Universidad de Leipzig Teodoro Frings, trazando en 1938 un cuadro general sobre la poesía heroica europea *(europäische Heldendichtung)*, observa que "la épica de la vieja Castilla se ha introducido ya en la historia literaria europea con tanta fuerza y claridad, que hasta se vió posible encontrar en la península pirenaica el origen de la *chanson de ges-*

te francesa" (alude a una opinión del profesor Hämel), pero que, aunque esto no sea aceptable, debe reconocerse que "para toda cuestión de orígenes de la épica románica, es la épica española la que nos debe guiar y no la francesa".

Aún más: también esta utilidad se extiende a toda la epopeya medieval cuando en 1935 el profesor de la Universidad de Toronto, G. T. Northup escribe: "Lastimoso es que un germanista como W. P. Ker ignore la épica de España, pues ésta es la épica europea que mejor sirve para estudiar el origen y evolución del género."

El valor histórico, digamos arqueológico, de la epopeya española, a causa de su más fuerte tradicionalidad, va unido a una singular eficiencia artística que expondré rápidamente.

La vida tradicional de un tema poético, esto es, la reiteración del mismo, sea en forma escrita, sea oral, dentro de una colectividad nacional, a través de varias generaciones o de varios siglos, sólo se logra mediante sucesivas renovaciones o refundiciones, cada una de las cuales repite algo de la anterior, apoyándose en la venerable autoridad de los antepasados, y renueva algo de lo viejo, buscando el agrado de toda innovación. En esta reiterada repetición y renovación, el poeta, el refundidor español, se dirigió siempre al pueblo, a la nación entera; su espíritu, su gusto individual se somete al espíritu colectivo, sin mirar particularmente a la clase de los literatos; la tradicionalidad es franca, absoluta y muy duradera. No así la tradicionalidad de la épica francesa, que es claudicante y más breve; la individualidad del poeta quiere a menudo sobreponerse a la colectividad, orientándose cada vez más hacia el público letrado.

En la tradicionalidad española, de sesgo muy popular, muy despreocupada de primores literarios, el texto en que cada refundición expone el tema poético importa al público mucho menos que el tema en sí mismo, de interés nacional; las refundiciones se suceden fáciles, pues la versificación es en extremo sencilla, de métrica irregular, rima simplemente asonantada, y bastan pocos cambios o retoques en la narración para renovar el tema, dentro de un gusto de llana espontaneidad. Las dimensiones del poema son breves, entre 500 y 5.000 versos, porque aspiran en todo caso a ser cantados o recitados ante un público. El autor no busca la gloria o la fama personal; queda siempre anónimo. Ocurre así el rápido olvido de cada una de las redacciones del tema épico, pronto suplantada por las sucesivas; se pierden los textos particulares, pero el tema perdura constante en el interés público.

Por el contrario, en la tradicionalidad francesa, muy inclinada hacia el arte docto, las refundiciones toman un carácter más personal.

Sus autores no quieren quedar siempre anónimos, tanto que más de un 20 por 100 de las *chansons de geste* conservadas tienen autor conocido. Los refundidores se esfuerzan por mostrar primores técnicos en el verso: métrica regular y variada, rima preferente en consonantes; se dilatan en narración de gran desarrollo, 10.000, 20.000 versos y más; obras para leídas en privado más que para cantadas en público; aspiran a la admiración literaria y logran que su obra sea estimada y conservada por los entendidos en el arte; pero las refundiciones son pocas, no pudiendo repetirse fácilmente el considerable esfuerzo que cada una exige por su versificación escrupulosa y por su gran extensión. En consecuencia, la tradicionalidad se agota, falta de renovación frecuente, la leyenda deja de vivir en el recuerdo público.

La diferencia es capital. La tradición española, lo mismo en su edad heroica primitiva que en la de su mayor florecimiento literario, pierde todos o casi todos sus textos; de su época más floreciente sólo se han salvado cinco miserables manuscritos, todos despiadadamente maltratados, faltos de muchas hojas y alguno representado muy pobremente tan sólo por un par de folios. Pero los temas de esos textos perdidos perduraron con fecunda vida hasta empalmar con otra tradicionalidad de un nuevo género poético, el de las baladas o romances épico-líricos, que junto a los muchos temas breves de varia procedencia, acogen muchos episodios heroicos de la caduca epopeya, hasta el punto de que los romances de los *Infantes de Lara*, de *Fernán González* o del *Cid* continúan repitiendo en parte los mismos versos de los cantares de gesta.

Muy al contrario, la épica francesa, si en su primera edad de mayor fuerza tradicional, de versificación poco artificiosa, pierde, lo mismo que la épica española, la totalidad de sus textos, después en el período literario, conforme se va haciendo más esmerada y docta, conserva multitud de sus poemas, conserva hasta cuatrocientos códices, algunos de excelente factura, muy apreciados en los armarios de bibliotecas y casas particulares. Pero los temas poetizados en esos preciados códices no llegaron con vida tradicional hasta poder influir en las baladas épico-líricas florecidas a partir del siglo XIV.

Esta radical diferencia entre la tradición española y la francesa resalta vivamente si nos fijamos en los temas franceses que la épica española se apropió como suyos. La *Chanson de Roland* es legible hoy en muchos manuscritos que nos conservan varias refundiciones del poema, divulgadas en los siglos XI y XII, las últimas mucho más extensas y con rima consonante, en vez del asonante primitivo; pero a través de esos perfeccionamientos no sobrevivió nada de la inspiración primitiva que pudiese animar las baladas francesas del siglo XIV o siguientes, las cuales nada supieron de Roland, ni de Olivier, ni de Turpin. Opuestamente, el cantar español de *Roncesvalles* se perdió en todas las refundiciones que hubo de tener, salvándose sólo dos maltratados folios del siglo XIII; pero en cambio, esas refundiciones que no dejaron de sí ningún texto manuscrito, se propagaban activamente en los siglos XIV y XV hasta dejar su espíritu y parte de sus versos más famosos en los romances que en los siglos XV y XVI se cantaban por toda España, lo mismo por boca de labradores y menestrales que por la de caballeros y damas, romances que conmemoran el altivo heroísmo de Roldán cuando se niega a pedir socorro al Emperador, o las maldiciones que el rey moro Marsín, en su huída, lanza contra Mahoma, o el sueño présago de doña Alda, adormecida en medio de sus trescientas damas que tañen instrumentos, o tantas aventuras más de otros héroes carolingios muy populares en España, aunque muy olvidados en su patria francesa. Toda la vieja poesía del gran poema francés y de su imitación española seguía viviendo tradicionalmente al sur de los Pirineos, muerta ya al norte de esos montes.

Otro ejemplo entre muchos más. La *Chanson des Saisnes* nos es hoy conocida en la refundición que de ella hizo, no un anónimo, sino un poeta amigo de la fama y muy fecundo en solicitarla, despreciador de juglares innominados, Jean Bodel, refundición versificada en cerca de 8.000 alejandrinos preciosamente consonantados; fué muy celebrada y se conserva en cuatro manuscritos; sin embargo, tampoco alcanzó popularidad bastante, y no dejó ningún rastro de sí en las baladas francesas. Pero cuando la obra de Jean Bodel fué adaptada por un juglar anónimo español, el *Cantar de Sansueña*, tuvo suerte enteramente opuesta: aunque ninguna de las refundiciones, que sin duda tuvo, salvó un folio siquiera de su texto, varios de sus episodios se perpetuaron en el Romancero, y en el siglo XVI eran por todos muy cantados los pecaminosos y sobresaltados amores de Baldovinos con la reina mora Sevilla, y aun hasta hoy día se puede oír cantar, en remotas aldeas, la batalla de Belardos, alumbrada por la luz de la luna llena; éxito extraordinario de estas invenciones de Jean Bodel, cuyo poema traducido no tuvo aprecio ninguno entre los literatos de España.

En resumen. La épica francesa desde fines del siglo XII abre una época en que sus refundiciones se hacen en rima consonante y en poemas de muchos miles de versos, más para leídos que para cantados; en estas refundiciones de gran esfuerzo, escasas en número por lo difíciles, la tradicionalidad languidece y se apaga. Así las *chansons de geste* no inspiraron baladas ni otro género tradicional ninguno.

Muy al contrario, la tradicionalidad española, lo mismo en su edad heroica que a partir del siglo XII en su edad floreciente, vive una vida en todo popular o nacional, sin preocuparse para nada de las escuelas literarias, tanto que mantuvo tenazmente un verso amétrico y un asonante de enorme arcaísmo (la -e paragógica), verso y asonante desechado por todos los otros géneros de la poesía hispana. Esta poesía épica se propagaba, más que en códices permanentes, en copias efímeras y en la recitación oral; por eso subsistieron de ella tan pocos textos; pero arraigó fuertemente en el recuerdo de las gentes, y su espíritu transmigró a otros géneros de interés nacional.

Primero, la epopeya, al avanzar en su época de florecimiento, al declinar el siglo XIII, transmigró a las *Crónicas Generales* de España, género prosístico que entonces alcanzaba una vida un tanto tradicional también. Cada códice de estas *Crónicas*, que se nos conservan por centenares, representa una refundición del caudal cronístico, debida a un autor, anónimo siempre, que en su trabajo historiográfico prestaba particular atención a las mudanzas sufridas por los poemas épicos. Estas *Crónicas*, tan divulgadas, contribuían al olvido de los poemas, pues ofrecían al público las fábulas históricas de los juglares en una forma prosística más autorizada, incluída dentro de una ordenada exposición cronológica.

Después, el alma de la epopeya se transfundió en el Romancero, según acabamos de indicar. Los romances primeros, con su canto más melodioso y con su lírica brevedad, contribuyeron también a que la gestas se olvidasen, pero prolongaron la vida de los temas heroicos, muy abundantes en el Romancero de los siglos XVI y XVII, y aun hoy divulgados algunos de ellos en el canto popular de España, de Portugal, de América y de los judíos sefardíes.

Gracias sobre todo al fuerte y persistente encanto del Romancero, el ideario renacentista, que tan violenta y radicalmente apartó a otros pueblos de su pasado medieval, no trajo en España ningún olvido para los antiguos héroes épicos. En la segunda mitad del siglo XVI y en todo el XVII los viejos temas heroicos pasaron del Romancero al teatro, siendo escenificados lo mismo por dramaturgos anónimos que por los mayores poetas nacionales. Luego se renovaron en el teatro neoclásico, se repitieron en el teatro romántico, y aunque menos, también en el moderno.

Y fuera de estas tres ramas de la literatura, los antiguos héroes nunca cesaron de animar la poesía lírica, la poemática, la novelística de todos los tiempos. Con razón observa Pío Rajna que en ninguna otra literatura, fuera de la española, puede formarse una como la que Antonio Restori tituló *Antologia Spagnola, La Gesta del Cid* (Milán, 1890) que, ciñéndose a una sola tradición heroica, reúna obras pertenecientes a todos los siglos y a todos los principales géneros literarios. Igual singularidad señala el profesor de Berlín Heinrich Morf: la sangrienta leyenda de los Infantes de Lara, cruzando como una banda roja el campo heráldico de la poesía hispana, sirve para exponer todas las vicisitudes de la literatura nacional. Y así en otros temas. Para estudiar el del último rey godo, es preciso esbozar un cuadro completo de la literatura española en el que están representadas todas las épocas, todas las escuelas, todas las tendencias principales. ¡Maravillosa fuerza la de la tradicionalidad española, que así inmortaliza las creaciones de aquellos rudos poetas primitivos, haciéndolas revivir siempre en el sentimiento literario y político de la nación!

La continuidad de los temas heroicos helenos, desde Homero sin cesar remozados en la épica, en la historia, en la poesía, en la tragedia, fué mirada como una de las mejores manifestaciones de lo que se ha llamado "el milagro griego". Éste es el único término de comparación lejano que podemos poner junto al que también se ha llamado "el milagro español".

Se dice y se repite que las producciones literarias de la Edad Media se parecen mucho en los varios países románicos. Se parecen menos que las producciones de la Edad Moderna. Y las dos epopeyas medievales, aunque muy influída la una por la otra, no pueden ser más diversas.

Más activa y rica la épica francesa, muy inspirada y genial en el desarrollo de sus temas, alcanzó un éxito enorme, siendo admirada e imitada en todos los países europeos; difusión literaria inigualable, el mayor prodigio de éxito poético medieval.

Pero preocupada después en perfeccionar su primitiva métrica y en desarrollar su técnica estructural, enfocada cada vez más hacia un público restringido, perdió pronto su significación colectiva, su valor nacional, su tradicionalidad, esencia de la epopeya, y acabó quedando ineficaz, olvidada dentro de su mismo pueblo.

Menos productiva la epopeya española, descuidada siempre respecto a su perfección formal, fué en cambio cuidadosa tenaz en mantener su vitalidad colectiva; se desenvolvió siempre dentro del ambiente arcaico en que había nacido, por lo cual hoy nos ofrece ese raro valor histórico de guía para el estudio sobre orígenes, carácter y evolución de toda poesía heroica. Y ese valor se suma con un singular resultado estético. La tradicionalidad primitiva, formadora y cohesora de la conciencia nacional, se mantuvo con fuerza y frescor perdurables, logrando sobrevivir al género mismo en que había nacido; transmigró sucesivamente a nuevos géneros, revistió nuevas formas, hasta en los tiempos modernos, con una perpetuidad del viejo espíritu épico-heroico sin igual en ninguna otra literatura: el milagro poético español.

SUPERVIVENCIA DEL "POEMA DE KUDRUN"

Publicado en la *Revista de Filología Española*, XX, 1933, traducción alemana por J. Meyer: *Das Fortleben des Kudrungedichtes*, en el *Jahrbuch für Volksliedforschung*, Berlín-Leipzig, 1936

SUPERVIVENCIA DEL "POEMA DE KUDRUN"

(ORÍGENES DE LA BALADA)

1.º EL "POEMA DE KUDRUN"

De entre los poemas con que la épica alto-alemana de los siglos XII y XIII remozó la antigua epopeya germánica, escoge con justicia la crítica moderna el *Poema de Kudrun* para elevarlo a lugar preferente después de *Los Nibelungos;* éste es la *Ilíada,* y *Kudrun* es la *Odisea* alemana, se dice. Y en verdad, aunque diluya la impresión poética desparramando demasiado sus aventuras durante el sucederse generaciones de abuelos, de padres y de hijos el *Poema de Kudrun* nos confía tipos y escenas inolvidables, sobre todo la figura de la joven princesa que acepta con firmeza inconmovible su martirio de amor, el hambre, los trabajos serviles, la desnudez sobre la nieve y entre los helados vientos del mar del Norte.

Este poema, obra de un poeta austríaco de comienzos del siglo XIII, no tuvo en su época gran resonancia en los círculos literarios; una alusión a él en textos posteriores es extremamente rara, y la obra se difundió en tan pocos manuscritos, que hoy sólo se nos conserva en una tardía copia del siglo XVI. Pero, en cambio, tuvo la suerte de inspirar a los cantores de baladas, quienes a través de los siglos perpetuaron hasta el presente el recuerdo de la princesa cautiva. Este recuerdo ha despertado modernamente el mayor interés, ha sido discutido muy a fondo por K. J. Schröer, por F. Panzer, por M. Kübel, por H. Schneider, y atrae también mi atención en las siguientes páginas (1).

La parte que nos importa del poema, la análoga a las baladas, es la segunda, la consagrada más especialmente a la heroína (la primera parte trata de los ascendientes de Kudrun); y las 18 "aventuras" o cantos que comprende esa segunda parte las dividiré en ocho momentos para nuestra comodidad ulterior.

1.° Kudrun, hija de Hetel (2) de Hegelinga

---

(1) En la consulta de la bibliografía extranjera debo eficaz auxilio al profesor John Meier, de Freiburg i. Br., al Centro de Intercambio Germano-Español, particularmente al Sr. W. Petersen, al Sr. H. A. Paludan, director de la Biblioteca Real de Copenhague, al Dr. G. Tilander, de la Universidad de Lund, y al Dr. J. A. Van Praag, de la Universidad de Amsterdam.

(2) No acentuaré a la española, como aconseja la Academia, los nombres propios extranjeros, por no desfigurar su grafía; pero advertiré aquí que debe pronunciarse Hétel, Hérwig, Sígfrid, Hártmut, Lúdwig, Órtwin; y en las bala-

(país imaginario en el mar del Norte), tiene tres pretendientes: Herwig de Seeland (Zelandia); Sigfrid, poderoso rey en la tierra de moros, y Hartmut de Ormanía (=Normandía). El primero, Herwig, es al fin preferido, y acompaña al padre de la doncella en una expedición contra el segundo pretendiente; pero estando ellos en la guerra, el tercer pretendiente, Hartmut, juntamente con su padre, Ludwig de Ormanía, asaltan el castillo de Matelane y se llevan a Kudrun con sus doncellas (3). Sobrevienen el padre y el prometido de Kudrun, Hetel y Herwig, a tiempo para perseguir a los raptores de la doncella; pero el padre es muerto por Ludwig en el encuentro que tienen, y los normundos escapan con su presa (4). En vano Hilda, la madre de la cautiva, quiere emprender una campaña de venganza y de rescate; han muerto tantos de sus guerreros, que debe esperar que crezca una nueva generación de caballeros hegelingos y maduren para llevar espada (5).

2.° Y así, Kudrun queda cautiva trece años en la corte de Ludwig; y como obstinadamente recha-

---

das, Sü'deli, Meérerin, Ísemar, Ségelffar, Háfsfrun, Víllfar. También Kudrun lleva el acento en la *u* inicial.

(3) Aventura 15. Puede leerse el poema vertido al alemán moderno, *Gudrun, ein deutsches Heldengedicht, übertragen von* Karl Simrock, Berlín, 1910. Yo cito el texto antiguo según la edición de K. Bartsch, *Kudrun*, Leipzig, 1865.

(4) Aventuras 16-18.

(5) Aventura 19, estrofas 940 y sigs.

za el matrimonio con su raptor, Hartmut, la madre de éste, la reina Gerlinda, hace a la cautiva y a sus nobilísimas doncellas servir en los más humildes oficios domésticos. La diabólica mujer decía a la joven: "Si no quieres paz y alegría, tendrás sufrimientos; tú cuidarás la lumbre de mi cámara y la atizarás tú misma" (estrofa 996), y otra vez: "Piénsalo mejor, hermosa doncella; si no, tendrás que quitar el polvo de los escaños con tus cabellos, barrer mi estancia y calentarla"; pero Kudrun respondía: "Todo eso haré antes que entregarme a otro que no sea mi amado" (estrofas 1019-1020). E insistió la malvada Gerlinda: "Tendrás que llevar mi ropa a la playa todos los días, y allí lavarás la mía y la de mi servidumbre, y cuidarás que nunca te vean perezosa" (estrofa 1054) (6). Éste es el trabajo principal a que se ve condenada Kudrun por permanecer fiel a su amor, "lavar todo el día, desde la mañana hasta la noche" (estrofa 1041). La fiel Hildeburg de Galicia, hija del rey de Portugal (7), obtiene el poder acompañar a Kudrun en el castigo de lavar la ropa durante el crudo invierno.

3.° Cuando la nueva generación de los huérfanos hegelingos hubo crecido, Hilda hizo construir siete fuertes navíos y veintidós barcas; llamó a Herwig y a otros amigos, que acudieron cabalgando con sus gentes, dispuestos a cumplir el ju-

---

(6) Aventuras 20 y 21.
(7) *Kudrun*, 119, 484, 1008, 1196.

ramento de rescatar a Kudrun, hecho trece años antes. Y todos navegaron hasta Ormanía (8).

4.° Un día de nieve, Kudrun y su doncella, la gallega Hildeburg, van de mañana (9) orillas del mar, y lavan allí las ropas de la reina. Se ha acercado cautelosa la fuerte armada que dirigen Herwig y Ortwin, hermano de la cautiva.

5.° Ortwin y Herwig llegan los dos solos en una barca a la playa para explorarla y encuentran a las dos lavanderas, a las cuales no reconocen.

6.° Preguntan a las doncellas noticias del país, así como de los guerreros que tiene consigo el rey Ludwig, y les ofrecen en recompensa cuatro anillos, que ellas no aceptan.

7.° Herwig halla que una de las lavanderas se parece a su prometida (estrofa 1234); Ortwin pregunta a las doncellas si no conocen a Kudrun, pero ellas le dicen que ha muerto, y que ellas son doncellas cautivadas con la difunta. Kudrun se dirige a su desconocido novio: "Vos os parecéis a uno que allá conocí, que se llamaba Herwig, y era de Seeland; si él viviese nos libraría de nuestro cautiverio" (estrofa 1241). Al fin, todos se reconocen y se abrazan; Herwig sabe que su amada no ha consentido en ser esposa de Hartmut; propone llevarse inmediatamente las doncellas, pero Ortwin rechaza la propuesta: quiere rescatar a su

---

(8) Aventuras 22 y 23.

(9) Van de mañana a lavar (luego insisto en este pormenor), si bien sólo después de pasar largo tiempo ven las lavanderas venir la barca (aventura 25).

hermana por las armas al día siguiente: "Si tuviera cien hermanas, antes las dejaría morir que llevarme hurtado lo que debo tomar por la fuerza" (estrofa 1256). Ambos regresan a sus naves (10).

8.° Kudrun siente renacer su dignidad: "Ahora que me han besado dos príncipes, hallo en mí demasiada altivez para lavar la ropa de Gerlinda la reina; ya llegan para mí consuelo y dicha. Aunque al volver me maltrate la reina, no moriré por eso." Y desoyendo los consejos de su doncella, arrojó de sus manos la ropa a las ondas: los lienzos flotaron unos instantes, y después zahondaron bajo el agua para siempre (estrofa 1272). Kudrun vuelve al palacio.

9.° Al verla volver sin la ropa, Gerlinda ata a Kudrun a la cama para golpearla. Con objeto de evitar el castigo, la princesa finge acceder al fin al amor de Hartmut. Cuando éste viene y la encuentra llorosa, va a abrazarla; pero ella dice que no se le acercará hasta que no pueda presentarse dignamente en traje de reina ante la corte (estrofa 1295); y como primer mandato para ser reina, hace que les den a ella y a sus doncellas un baño, decentes vestidos y buenas camas para dormir aquella noche. Al amanecer, los caballeros hegelingos desembarcan y rodean el castillo. Una doncella despierta a Kudrun anunciándole la hora del rescate. Los asaltantes matan a Ludwig y a Gerlinda, pero respetan a Hartmut y a la hermana de éste,

---

(10) **Aventura 26.**

que siempre fueron benévolos con Kudrun durante el cautiverio, y se los llevan consigo (11).

10.° Los hegelingos, con Kudrun, y con sus prisioneros y botín, se embarcan hacia su patria; las naves corrían con viento favorable.

11.° La madre de Kudrun, Hilda, con su servidumbre, cabalgó a la playa para recibirlos. La hermosa Kudrun, rodeada de cien doncellas, avanzó, pero la madre en el primer momento no acertaba cuál era entre todas: "No sé —dijo— a quién debo abrazar como hija amada; ella se me ha hecho desconocida; bien vengáis todos los que habéis desembarcado." "Esta es vuestra hija", le indicó el héroe Irold. Entonces las dos se fueron al encuentro; cuanto oro hay en el mundo no pagaría la alegría que ellas sentían; al besarse, todas las penas pasadas se desvanecieron (estrofas 1574-1576) (12). Sigue la boda de Herwig y Kudrun; ésta premia a Hartmut y a su hermana casándolos con la princesa gallega Hildeburg y con Ortwin respectivamente; el moro Sigfrid se casa con la hermana de Herwig (13).

2.° Cuatro tipos de baladas o romances que se han estudiado en relación con "Kudrun"

Este *Poema de Kudrun*, la opinión de los críticos modernos está conforme en afirmarlo, inspiró la

(11) Aventuras 28-29.
(12) Aventura 30.
(13) Aventuras 31-32.

balada alemana de *La bella Meererin* (14), *Die schöne Meererin*, balada descubierta en 1869 por K. J. Schröer (15) en el islote lingüístico de Gottschee, territorio de 25.000 alemanes, enclavado en el país eslavo de Carniola, antes austríaco, hoy de Yugoslavia. He aquí un análisis de la canción:

"¡Cuán temprano se levanta la hermosa, la joven Meererin!; muy de mañana va a lavar las blancas y finas ropas al ancho mar, al hondo mar..." Comienzo que responde a la aventura 24 del *Poema de Kudrun*: "A los primeros albores se fué a una ventana la que toda la noche había yacido en cama incómoda..., y dijo la infeliz: fuerza es ir a lavar..." (16):

1196 Dôez êrste tagete, an ein venster gie,
diu durch die naht unsanfte was gelegen ie...
1197 Dô sprach diu ellende: wir solden waschen gân.

Meererin ve llegar una barca con dos nobles señores que le dan los buenos días, y a quienes ella responde: "¡Muy pocos buenos días tengo yo!" Esta tristeza, inexplicada en la canción, se aclara recordando cómo el *Poema de Kudrun* refiere la llegada de Ortwin y Herwig ante las dos lavande-

(14) Así piensan Schröer, Kübel y Schneider, que citaremos luego.

(15) *Zum Fortleben der Kudrunsage*, en *Germania*, XIV, 333, y véase también el tomo XVII, discusión con Ernst Martin.

(16) Esto en el poema no lo dice Kudrun, sino su compañera "Hildeburg, la noble del país de Galicia".

ras: "El noble Herwig les dió los buenos días, saludo que las infelices jóvenes tanto necesitaban, pues su señora les era muy inhumana; para aquellas lindas muchachas era bien raro oír "buenos días" o "buenas noches":

> 1220 Hervîc der edele guoten morgen bôt,
> den ellenden Kinden, des waere in dicke nôt:
> wan ir meisterinne diu was vil ungehiure,
> "guoten morgen, guoten âbent" was den min-
> [niclîchen meiden tiure.

En la balada, uno de los jóvenes incógnitos se quita un anillo y lo alarga a la muchacha: "Toma, hermosa Meererin"; pero ella lo rechaza: "Yo no soy la hermosa Meererin; no soy sino una lavandera." Como en *Kudrun*, 1224, Ortwin y Herwig ofrecen cuatro anillos a las lavanderas, y éstas no quieren darse a conocer; también lo mismo que Meererin, dice Kudrun, "yo soy una pobre lavandera":

> 1294 Ich bin ein armiu wesche.

si bien esto lo dice no a Ortwin y Herwig, sino al desairado Hartmut cuando éste, al librarla de los golpes de Gerlinda, quiere abrazarla, y ella le rechaza hasta que no esté vestida como reina.

Mas a pesar de que en la balada Meererin niega su nombre, los jóvenes le dicen: "Tú eres la hermosa, la joven Meererin", y la van a llevar a su barca; ella entonces toma un pañizuelo en la mano y se va sobre el ancho mar... En el texto dialectal de la balada, Schröer quiere enmendar: "toma un pañizuelo en la mano y *lo arroja* al ancho mar", como recuerdo de la ropa que Kudrun tira al agua (estrofas 1271-1272) ; pero yo no creo que hay nada que corregir, pues también en el romance de *Don Bueso* la cautiva lleva consigo alguna ropa de la que está lavando.

La balada termina diciendo que al otro lado del mar la hermosa recibe el saludo y el beso (17). Y todo así en la canción queda oscuro, desde la causa de la tristeza de Meererin, la relación de ésta con los dos jóvenes y el reconocimiento, hasta la alegría de su llegada a la otra banda del mar; pero todo, sin embargo, tiene clara explicación para quien recuerde el *Poema de Kudrun,* lo cual prueba evidentemente que de él depende la balada.

También se relacionan con el poema alemán otra serie de baladas nórdicas, *Svend y su hermana,* de las cuales daremos como muestra la versión sueca (18), donde por cierto el hermano queda anónimo.

"La doncella se va a la orilla del lago a lavar los lienzos blancos y ricos (estribillo: el tilo florece en la hermosa isla). Llega un caballero sobre su cabalgadura. —Dame tu amor, hermosísima don-

---

(17) Estas analogías entre el poema y la balada están indicadas ya en la excelente exposición hecha por MARTHA KÜBEL, *Das Fortleben des Kudrunepos,* Dissertation Franckfurt. a. M., Leipzig, 1929, págs. 7, I-II y 24-26.

(18) GEIJER OK AFZELIUS, *Svenska Folkvisor,* núm. 8, tres variantes que yo mezclo en mi resumen.

cella, yo te regalaré el finísimo oro. —¿Y qué responderé a mi madre adoptiva cuando me vea con ese oro finísimo? —Dile que estando junto al lago lo encontraste en la blanca arena..." Ella rechaza la propuesta; el caballero entonces le pide que se siente y le cuente su vida. Ella cuenta que murieron su padre y su madre. "—Murieron todos los que me habían de vestir y alimentar; no me quedó sino mi hermano menor; él me trajo aquí a una madre adoptiva, la cual me enseñó a coser y a bordar, a hacer la cerveza y el pan, a servir las mesas principales y a no creer palabras engañosas. —Mucho me alegra, hermana mía, ese tu modo de hablar; tú eres mi hermana, yo tu hermano, que sirvo en la corte del rey, y te he de dar por esposo el mejor caballero."

Otro tipo de canciones entroncado con el *Poema de Kudrun* está representado por la llamada balada de la *Südeli*. Esta voz *südeli* es dialectal suiza, sacada del alemán *sudeln*, para designar la persona ocupada en las labores más humildes de la casa; digamos, en español, una fregona; el tipo poético es, pues, algo así como el de la Cenicienta. Tal balada está muy extendida por Alemania y por los países vecinos; su más famosa versión es la suiza de Berna que, con el citado título de *Südeli*, fué publicada por Uhland en su colección de *Volkslieder*. He aquí un resumen de sus 77 versos:

Un rey tenía una niña llamada Annelein (Anita); ella cogiendo piedrecillas en la fuente, un mercader extranjero le echó una cinta de seda y la llevó a tierra extraña, donde la acomodó como una expósita en casa de una hostelera; ésta ofrece tratarla como a hija. Y pasó el tiempo; y un noble señor cabalgó para buscar mujer. Llegó a una hostería; hermosa muchacha le sirve el vino. "—Señora hostelera, ¿es ésta vuestra hija o vuestra nuera? —No es mi hija ni mi nuera, sino una pobre fregona para servir a mis huéspedes" ("ein armes Südeli", recuerdo del "ein armiu wesche", de *Kudrun*). "—Señora hostelera, ¿quiere usted dejármela una noche o tres? —Téngala usted cuanto quiera." Él tomó a la hermosa Annelein por la mano, la llevó a su alcoba, a su buen lecho. Luego desenvainó su dorada espada y la puso entre los corazones de ambos: Annelein debe quedar doncella. "Annelein, vuélvete a mirarme y cuéntame la tristeza de tu alma." Y ella comienza: "El rey es mi padre, mi madre es la reina, y tengo un hermano que se llama Manigfalt; Dios sabe qué será de él..." Por estas palabras el viajero reconoce que tiene delante de sí a su hermana. Y cuando llegó el día, vino la hostelera llamando: "Levántate, vil ramera, a servir la comida a tus huéspedes"; pero él la despide: "Da tú misma de comer a tus huéspedes, que eso ya no lo hará más mi hermana Annelein." Luego montó en su alto caballo y, cogiendo a su hermanita por la cintura, la sentó a las ancas. Y cuando ambos entraron por la corte, les salió al encuentro su madre: "—Bien vengas, hijo, y bien venida sea la graciosa mujercita. —Ella no es mi mujer, es vuestra hija querida, que hace tanto tiempo hemos perdido." Sentaron a Annelein a la cabecera de la mesa, le dieron pescado cocido y frito y le pusieron anillo de oro: "Ya eres otra vez la hija de reyes" (19).

Con esto hemos presentado ya los principales ejemplos de las baladas de países germánicos relacionadas con *Kudrun;* nos queda aparte el romance español, que mucho mejor que ellas desarrolla una acción semejante a la del antiguo poema alemán. Resumiré aquí con detenimiento (pues lo exige mucho mayor que las baladas extranjeras) el romance en su versión hexasílaba, que es la más arcaica. Tiene dos variantes: la del Noroeste de la Península [NO], cuya primera versión fué recogida en 1849 (20), y la de los judíos de Marruecos y de Oriente [J], recogidas todas desde 1896 acá (21); las dos concuerdan en la mayoría de sus pormenores; añado algún rasgo de la versión oc-

---

(19) L. UHLAND, *Alte hoch- und niederdeutsche Volkslieder*, Stuttgart, 1884, núm. 121.

(20) Por P. J. Pidal, en DURÁN, *Romancero general* (Bibl. Aut. Esp., X, pág. LXV). Otras versiones publicadas por M. MENÉNDEZ PELAYO, *Antología de Líricos*, X, 1900, páginas 56 y 57, y por N. ALONSO CORTÉS, *Romances pop. de Castilla*, Valladolid, 1906, pág. 51, y *Revue Hispanique*, L, 1920, pág. 16. Poseo unas 60 versiones inéditas.

(21) Las versiones judías están en dísticos paralelos, forma evidentemente más arcaica que la monorrima conservada en el noroeste de la Península. Sólo en algunas versiones del Noroeste se conservan escasos restos de dísticos paralelos. Véase una muestra de las versiones judías recogida por A. Danon en 1896, MENÉNDEZ PELAYO, *Antología*, X, pág. 327. Poseo bastantes otras inéditas.

tosilábica más antigua [8] (22), derivada sin duda de otra versión perdida hexasílaba.

En un asalto a los campos de Oliva, los moros cautivan a la hija del rey y la entregan a la reina mora; cosa semejante al asalto de Matelane y prisión de Kudrun. La reina mora siente celos de la hermosura de aquella cautiva; simplificación novelesca del enojo de Gerlinda en favor de una tercera persona, en favor de su hijo Hartmut. La reina mora, para que la cautiva pierda la belleza del rostro, la hace servir en la cocina [J de Oriente] o en el horno del pan [J de Marruecos]; recuérdese que la reina Gerlinda dice por dos veces a su cautiva Kudrun: "tendrás que calentar mi cuarto y atizar la lumbre tú misma...", "deberás barrer tres veces al día mi cámara y encender en ella el fuego".

996 du muost mîn phiesel eiten und muost
[schüren sélbé die brende.
1020 Mine kemenâten, daz wil ich dir sagen,
die muost du drî stunde ze ieclîchem tage
keren unde zünden mir daz fiur dar inne.

"Tres veces al día" irá la hermana de don Bueso a lavar, según la versión de Alcañices. Y su comida es tan sólo "del pan de zaina", "del pan de ceniza" [NO]; le dan "pan por onzas, agua sin medida" [NO; Carreño, Lugo]; igual mal trato sufre

(22) Una muestra de la versión octosílaba puede verse en M. MILÁ y FONTANALS, *Romancerillo catalán*, 1896, página 234. Tengo a la vista unas 170 versiones inéditas.

Kudrun: "su comer era sólo de centeno y de agua de la fuente".

1193 ir spîse was von rocken und von brunnen.

La cautiva del romance lleva en su rostro la señal de los malos tratos: "la color perdía"—; algo así dice el poeta de *Kudrun:* "bien se veía en la noble doncella que no tenía habitación ni comida buenas, y que la hacían sufrir porque mantenía virtuosa honestidad":

1012 an der edelen frouwen was daz worden schîn,
daz siu het vil selden gemach und guote spîse.

Es verdad que la mayoría de las versiones del romance gustan más de contradecir este rasgo realista, introduciendo el prodigio de que cuanto la cautiva peor come y más trabaja, más se enciende su hermosura; pero que en las versiones primitivas la esclava perdía su buen color se prueba con el final del romance en las variantes del Noroeste, las cuales caen en contradicción, diciendo al comienzo que a pesar de los malos tratos la cautiva tenía mejor color, y poniendo al final que la madre encuentra descolorida a su hija.

La reina mora, celosa, dedica principalmente su cautiva a lavar la ropa "a orillas de la marina" [8], en el río [J], en la fuente fría [NO], fuente que por un verso ulterior se ve que está en la playa, en sitio donde "crecerá el mar" y se llevará la ropa abandonada allí; "el aire y el sol" [J de Oriente], "el sol y el viento" [8] estropearán la hermosura de la cautiva; "lloviendo y nevando, la color perdía" [NO]; rasgo evidentemente emparentado con aquellos versos en que la reina Gerlinda dice a una compañera de Kudrun: "por crudo que sea el invierno, tendrás que ir sobre la nieve, entre los helados vientos para lavar la ropa."

1064 swie herte sî der winter, du muost ûf den snê
und muost diu kleider waschen in den küelen
[winden,

lo cual se pone después en acción por el poeta, cuando la pobre Kudrun y su doncella van a lavar descalzas, "habiendo caído una nevada" (1196 dô was ein snê gevallen...), y luego repite: "con los pies descalzos anduvieron por la nieve."

1204 mit den baren füezen sie wuoten durch den snê.

La cautiva del romance se halla lavando la ropa "en la fuente fría" cuando "aún no amanecía" [J de Oriente], "mañanita fría" [NO], "mirando, por ver como el sol salía" [8], momento en que sobreviene el hermano don Bueso, como en la balada de *La hermosa Meererin,* análogamente a los versos de *Kudrun* ya mencionados, que describen la escena sobre la que van a aparecer Ortwin y Herwig. Don Bueso va "a buscar amiga" o esposa (23), cuando se encuentra con la cautiva.

---

(23) El verso "a buscar amiga" se halla sólo en las versiones del Noroeste, pero hay que suponerlo olvidado en las versiones judías de Marruecos y de Oriente, pues en

Al ver las lindas manos de la lavandera "en el agua fría", don Bueso recuerda las de su hermana [J de Oriente] (24); a su vez, en algunas versiones, la cautiva halla al recién llegado semejante a su hermano [J de Oriente]; este rasgo, que falta en las versiones peninsulares, puede compararse al de *Kudrun*, 1234, en que Herwig se queda mirando a la princesa lavandera: "le pareció tan bella, tan bien formada, que en su corazón sintió pesar hondo por compararla a una en la que siempre estaba pensando con amor", y después, Kudrun dice al recién llegado: "Yo conocí a uno que se os parecía mucho; él se llamaba Herwig y era de Seeland."

1241 einen ich erkande dem sît ir anelîch
der was geheizen Herwîc und was von Sêlande

Don Bueso, al saber que la cautiva es cristiana, se ofrece a libertarla, y ella accede, después de exigir al desconocido caballero juramento de respetar su honor [NO y 8]. Los paños de la reina que está lavando los tira al agua, pero se lleva consigo los de seda más preciosos. Tenemos aquí una modificación de la singular escena arriba resumida, en que Kudrun arroja de sus manos al agua la ropa de Gerlinda (estrofa 1272).

---

ellas, al final, la madre espera que su hijo le traiga una "nuera" o una "novia", lo mismo que en las versiones del Noroeste.

(24) En las versiones judías de Marruecos se dice sólo: "¡Oh qué lindas manos en el agua fría! ¿Si venís, la niña, en mi compañía?"

Cabalgando don Bueso y la cautiva, ésta, al llegar a su patria, reconoce los campos de Oliva y nombra a sus padres y a su hermano; don Bueso descubre entonces que la cautiva es su hermana. Llegan ante la madre, la cual, esperando que su hijo le traiga una nuera, recibe a la hija cautivada. En el primer momento la madre no acierta a reconocer a su hija, por lo débil que está del mal comer en su cautiverio, "para ser mi hija, ¡qué descolorida!" [NO] (25), rasgo correspondiente a otro del poema alemán en que la madre no la reconoce entre sus damas: "no sé cuál es mi querida hija; ella se me ha hecho desconocida."

1575 ... diu ist mir gar unkünde.

La falta de color en la hermana de don Bueso corresponde al triste aspecto de la "desdichada Kudrun", que el poeta alemán hace notar, como ya dijimos.

3.° EL POEMA, ¿SE INSPIRA EN UNA BALADA?

Tenemos aquí cuatro tipos de canción que presentan analogías evidentes, mayores o menores, con el relato del cautiverio y rescate de Kudrun, al que sirve de centro el singularísimo episodio de la

(25) Este rasgo, sin duda primitivo, debía de ser final de la versión más vieja. Otras versiones del Noroeste añaden un último episodio, en que la cautiva reconoce los vestidos que dejó en su casa. No hay en *Kudrun* ninguna alusión a los antiguos vestidos de la doncella rescatada.

princesa lavandera. Pero sobre las relaciones que unen estos varios tipos con el poema alemán hay gran contienda crítica: las baladas y los cuentos (que también los hay) de igual asunto que el *Poema de Kudrun,* pueden ser mirados como derivados del poema o bien como restos de una balada, *saga* o leyenda más antigua, la cual a su vez habría servido de base al poema mismo.

Schröer, ya citado como descubridor de la balada de *La bella Meererin,* creyó que las baladas provenían todas del poema, pero contra él argumentaron varios críticos, y F. Panzer sostuvo, por el contrario, que las baladas no sólo tienen un origen anterior al poema, sino que son fuente del mismo, al cual inspiraron el episodio del cautiverio y liberación de la protagonista (26) ; últimamente, Martha Kübel adopta un término medio: la balada de la *Südeli* y sus análogas (el romance español a la cabeza de ellas) son anteriores al *Poema de Kudrun* y fuente suya, mientras la balada de *La bella Meererin* y su afines son derivadas del poema (27).

Las modernas corrientes críticas en Alemania miran como cosa muy natural la gran antigüedad de las baladas, superior a la del poema del siglo XIII, mientras en cambio M. Kübel sólo cree deber esforzarse en explicar cómo la balada de *La Meererin* tiene que ser aceptada como un resto de la epopeya; el *Poema de Kudrun,* dice, aunque parece haber tenido poca difusión, estuvo muy divul-

(26) F. PANZER, *Hilde-Gudrun,* Halle, 1901, pág. 390.
(27) *Das Fortleben des Kudrunepos,* 1929, págs. 19-27.

gado antes en la Alta Alemania; se sabe que en el siglo XIII era conocido en Baviera; en el siglo XIV, campesinos de Baviera y de Austria emigraron a la región eslava de Gottschee, y ellos llevaron consigo una versión del *Poema de Kudrun*, o ya una balada de *Kudrun*, tesoro que conservaron hasta hoy día. Pero es el caso que, al revés de lo que los críticos germanistas aceptan como cosa más natural, el hispanista, experimentado en indagar la evolución de la epopeya y el Romancero, tiene que mirar el caso de que una balada derive de un poema como cosa más corriente que el que un poema derive de una balada.

Panzer y M. Kübel (prescindamos de la balada de la *Meererin*, sobre la cual discrepan) coinciden en considerar que las baladas como *Don Bueso*, la *Südeli* y la escandinava representan la fuente donde el autor de *Kudrun* tomó para la segunda parte de su poema la cautividad de la heroína, y a esta opinión viene a sumarse la gran autoridad de Hermann Schneider (28). Siguiendo a éste, hallamos

---

(28) En su estudio publicado en *Festgabe G. Ehrismann*, 1925, págs. 118-119, y en su obra *Deutsche Heldensage*, Berlín, 1930 (Sammlung Göschen), págs. 121-122. Hay que consultar también su obra anterior, *Heldendichtung, Geistlichendichtung*, etc., Heidelberg, 1925, págs. 356 y 506, donde, ateniéndose a la opinión de Panzer, duda sólo si la canción o balada que inspiró al poeta era una balada de *Kudrun*, con los nombres de Ludwig, Gerlind, Hartmut e Hilburg (es decir, una balada extensa, un verdadero poema), o bien una balada sin nombres, del tipo de la *Südeli* (es decir, balada breve, épico-lírica). En la *Festgabe Ehris-*

que, si bien el comienzo del poema, la historia de Hilde, madre de Kudrun, está fundada en una tradición de vieja saga germánica, en canciones y poemas alemanes antiguos perdidos, por el contrario, la segunda parte del poema, todo el relato del cautiverio de Kudrun, es extraño a la antigua tradición heroica; es decir, son cosa nueva los tres personajes: Kudrun, hija de reyes, su hermano Ortwin y la malévola Gerlinda, y son nuevas las tres situaciones capitales: primera, la joven es cautivada y obligada por la mala vieja a prestar servicios humildes; segunda, mientras la cautiva está lavando a orillas del mar, llega en una barca su hermano, que no la reconoce al principio; tercera, cuando la cautiva es libertada, la mala vieja es muerta en castigo de los malos tratos. Pues bien: estos tres personajes y estos tres momentos de la acción, que no pueden explicarse por las fuentes épicas de la alta Edad Media, se hallan justamente todos en las baladas del tipo de la *Südeli*, por lo cual parece que el poeta de *Kudrun*, además del antiguo poema de *Hilde*, debió de tener presente una obra de carácter completamente distinto del de la vieja epopeya, un poema cantable o, para emplear la denominación moderna, una balada, del tipo *Südeli*, que debió de haber existido ya a comienzos del siglo XIII.

Por esto, aunque las baladas conservadas de la

---

mann, págs. 119 y 124, se inclina a creer que la supuesta balada de la *Südeli* del siglo XIII sería el representante más antiguo de las baladas sin nombres propios.

Südeli no pueden ascender sino a todo más al siglo XV, supone Schneider (29) una redacción de tipo más antiguo, existente en Alemania ya alrededor de 1200, fechación que apoya mostrando que también deben remontar al siglo XIII otras diversas baladas o leyendas, como la posterior de *Hildebrand*, la del *Noble Moringer*, la de *Tannhäuser* y otras, si bien todas estas se refieren a personajes conocidos, salvo la de la *Südeli*, que entre ellas sería excepción, porque debía de carecer de nombres propios.

Los germanistas ya desde antiguo supusieron, como suponen hoy, que el libertador de Kudrun sería originariamente el hermano solo, y que luego se le agregaría el prometido Herwig (30), y con este gran apoyo, Panzer viene a señalar la balada de la *Südeli* (rescate por el hermano solo)

---

(29) En la citada *Festgabe G. Ehrismann*, págs. 112 y siguientes.

(30) B. SYMONS, en el *Grundriss der germ. Philol.*, II, 1, 1889-1893, pág. 54, supone la forma fundamental del *Poema de Kudrun* con liberación sólo por obra del hermano; esta forma se contaminó luego con una saga de Herwig en que éste debía de matar al raptador de su prometida. Heusler (voz "Kudrun", en el Hoops *Reallexikon*, III, 113) desecha con razón la hipótesis de una "Herwigsage", y suponiendo raíz germánica antigua para la leyenda de Kudrun, cree también que el hermano es el libertador de la doncella y vengador del padre H. SCHNEIDER, *Heldendichtung*, etc., 1925, pág. 356, aceptando la eliminación de la saga de Herwig, que sólo existió en la cabeza de algunos críticos (el nombre de Herwig procede del poema de *Hilde*), se atiene al parecer de Panzer que expongo arriba.

como la fuente de esa supuesta forma originaria. Nada objetaría yo a esto, respetuoso con la opinión de los especialistas, si no fuese por la consideración de que muchas veces es útil el parecer de quien, aun no conociendo profundamente una materia, se asoma a ella desde diferente campo de observación que ofrece otros puntos de mira y soluciones divergentes.

Desde luego debe notarse que para separar en dos grupos diversos por su origen las varias baladas de la hermana rescatada, uno derivado del *Poema de Kudrun (Meererin)* y otro fuente de él *(Südeli)*, no hay más que una razón, y es que ante la hermosa Meererin se presentan dos caballeros, uno de los cuales se cree adición tardía del autor del poema, mientras ante la *Südeli* sólo se presenta un caballero, según se supone contaba la versión originaria de *Kudrun*. H. Schneider (31) y, siguiendo a éste, Martha Kübel (32) dan singular valor a esto: si la balada de la *Südeli*, dice, fuese derivada del poema, ¿cómo el poeta de esa balada, "el pueblo", pudo adivinar el primitivo papel que el hermano tenía en la epopeya y reintegrarle en sus derechos, que después le fueron usurpados en parte por el novio? Ahora bien: este razonamiento, sin duda muy impresionante, no me parece inatacable.

Ante todo yo creo que en la segunda parte del *Poema de Kudrun* el prometido, Herwig, no es,

(31) *Festgabe G. Ehrismann*, págs. 118-119.
(32) *Das Fortleben des Kudrunepos*, 1929, pág. 22.

como se dice, un personaje allegadizo, venido después (33), sino muy esencial, que debió figurar originariamente en la concepción inicial de la trama, esto es, en las guerras con otro pretendiente de Kudrun, en la persecución de los raptores de su prometida y en el rescate final. Toda esa segunda parte es fundamentalmente el poema de los pretendientes de la heroína, el poema de la fidelidad de ésta a uno de esos pretendientes, Herwig; Kudrun padece los malos tratos de Gerlinda no por otra causa, sino por su fidelidad a Herwig. Sin Herwig no hay poema, y es más, sin Herwig no hay princesa lavandera; delante de Kudrun lavandera tienen que comparecer dos caballeros, por exigencia imperiosa de la concepción poética y no por accidental agregación de elementos postizos. Nótese que una vez relegado a último término el novio en las baladas, o suprimido de raíz, no hay acuerdo alguno entre ellas acerca de las causas de la vida penosa de la doncella, y unas suprimen también la escena del lavado de la ropa, otras no señalan para ese lavado causa alguna, y sólo el romance español se preocupa de explicarlo, suponiendo celos de la reina, en vez de la reina ayudadora de otro pretendiente.

Dicho esto, pensemos además si está bien fun-

---

(33) H. SCHNEIDER, *Heldendichtung*, etc., aun inclinándose a la opinión de Panzer, deja en duda con un "vielleicht" el que en la fuente del poema fuese el hermano solo el libertador de la cautiva.

dada esa división de las baladas: *Meererin* con dos caballeros y *Südeli* con uno. M. Kübel incluye en el tipo que llama *Südeli* en sentido más extenso: 1.°, una rama antigua, donde figuran el romance de *Don Bueso* y las variantes escandinavas de *Svend y su hermana;* y 2.°, una rama más reciente, donde coloca las baladas alemanas, llamadas especialmente de la *Südeli,* y las versiones análogas holandesas, escandinavas y eslavas. Es verdad que en la mayoría de las variantes, tanto de la rama primera como de la segunda, es un solo caballero, el hermano, el que se presenta ante la lavandera, la fregona o quien sea. Pero es el caso que en algunas variantes no sucede así.

Una versión danesa publicada ya en la colección de Peder Syv de 1695, y recogida después en variantes orales de 1870-72 y 1885, comienza: "Yo me estaba orillas de un arroyo lavando ropa, | allí dos caballeros vinieron a caballo (der kom ridende de Riddere fro). || El uno prosiguió su camino, | el otro se quedó a hablar conmigo: |" Hermosa doncella, despósate conmigo; | muy hermosa joya de oro te daré..." (34). La versión noruega coincide con la danesa: "Yo me estaba a orillas de un arroyo lavando; | allí vinieron hasta mí los dos caballeros (der kom til meg dei riddarar tvo). || El uno

---

(34) GRUNDTVIG - OLRIK, *Danmarks gamle Folkeviser,* 1898, núm. 381, var. *B.* El estribillo del verso impar es "Bajo el otero", y el del verso par, "¿Cuánto queréis cabalgar, hijos del señor Hogen?"

continuó su camino, | el otro hablaba conmigo: || Doncella, doncella, ámame..." (35).

Otra variante danesa, recogida en 1871, empieza: "Paseábase Elisa a orillas del arroyo | cogiendo flores rojas y azules. || Cogió cuatro, cogió cinco, | eligió la más bella para sí. || Cogió ocho, cogió *nueve* (ni); | vinieron a caballo *diez* caballeros (og saa kom der ridend' de Ridderer ti). || Los nueve pasaron adelante, | el décimo quedóse a hablar con ella..." (36). La rima *ni, ti* es ciertamente la única responsable de que los acompañantes del hermano sean ahora nueve; pero como el que sean dos no tiene razón ninguna de ser más que en el oculto origen de la canción, se puede producir en cualquier momento el caso de que la dualidad se convierta en mera pluralidad.

Esto sucede en otra variante sueca que comienza así: "La doncella se va al bosquecillo, | va a lavar los lienzos. || Ella ve apuntar el sol, | y ve a los caballeros brillar (hon såg de riddare glimma). || —Ah, hermosa doncella, ámame; | yo te raré el más rubio oro..." (37); y ya en adelante no figura más que un solo caballero. Es de notar que entre las tres variantes suecas ésta es la única

(35) *Norcke Folkevisor*, publ. por Knut Liestöl y Moltke Moe, tomo III, Kristianía, 1924, núm. 134. Hasta el segundo estribillo es el mismo de la variante danesa: "¿Dónde quieren cabalgar los dos hijos de Håken?"

(36) Versión *C* del núm. 381 de *Danmarks gamle Folkeviser*.

(37) Es la segunda de las tres variantes publicadas por Geijer y Afzelius, citados arriba en una nota.

que expresa la circunstancia del amanecer, sin duda originaria; es, pues, la variante que mejor conserva la estrofa del aparecer del hermano, y en esa estrofa nombra a los caballeros en plural.

Por último, la versión islandesa, donde el caballero encuentra a la doncella blanqueando madejas junto al pozo en el patio, tiene dos variantes en las que también se dice "vinieron caballeros" (komu riddarar), aunque inmediatamente la conversación es entre un solo caballero y la doncella: "Todo mi oro te daré si tú, doncella, me quieres amar" (38).

Asimismo en algunas versiones alemanas de la *Südeli* vemos llegar también más de un caballero ante la fregona, aunque después sólo se hable de uno. Como en *Kudrun* son llamados "reyes" Herwig y Ortwin (der edle König Herwig, etc.), la balada alemana empieza presentándonos los "reyes" que salen de su tierra y llegan a la casa de la hostelera:

Es wollten drei Könige das Land ausreiten...
sie riten wohl bis in die späte Nacht,
sie kamen wohl vor der Frau Wirtin ihr Haus
Frau Wirtin guckte zum Fenster heraus (39),

---

(38) Variantes *Ac* y *Ad* del núm. 59, en el *Islenzk fornkwæ di*.

(39) Versión oral (del Deutsches Volksliederachiv de Freiburg i. Br.) recogida en Brandenburgo, 1845, publ, por M. Kübel, pág. 68. Otra recogida por L. PINCK, *Verkliyende Weisen*, tomo II, pág. 350, empieza: "Es reisen ihrer Herren alle dreie, | sie reiten, Frau Wirtin gar schöne; | sie reiten Frau Wirtin wohl vor es die Tür: | —Frau Wirtin,

sólo que aquí la pluralidad de reyes toma el número concreto de tres, más lengendario, en vez del de dos, que ya en las versiones nórdicas no tiene la razón de ser de aludir a hermano y novio; téngase en cuenta que la *Südeli* es en todo su comienzo más alejada de sus fuentes que la *vise* de *Svend*.

Ahora bien: todas estas variantes donde el hermano no comparece solo delante de su hermana, donde se habla de dos caballeros, o de los caballeros, tienen importancia extraordinaria. El que en la rapidísima sucesión de imágenes de estas baladas aparezca un personaje o personajes inútiles, no puede tener otra explicación sino que las baladas acortan descuidadamente un relato más circunstanciado. Sin duda la balada de *Svend* o de la *Südeli* introducen los *dos* cabalgadores o los cabalgadores en plural, no más que por hallarse inspiradas en el *Poema de Kudrun*, y luego, como un solo caballero les bastaba para su breve acción, eliminaron el otro o los otros que para nada debieran haber sacado a escena. El segundo caballero, la pluralidad de caballeros, es, pues, en las dos baladas de *Svend* y de la *Südeli* como un órgano atrofiado, y ha de servir a la biología literaria para afirmar que esas baladas proceden del *Poema de Kudrun*, donde ese órgano tiene desarrollo y funciones normales.

No acierto cómo los que creen estas baladas

---

zäppt uns ein Kanne mi Bier"; y en la estrofa siguiente sólo se habla ya de uno: "König Milchert der schaut es der feine Magd nach."

fuente del poema pueden pasar de largo ante esta presencia de los dos caballeros en algunas versiones de las dos ramas: en la antigua y en la posterior, del tipo *Südeli.* Sólo queda el romance de *Don Bueso,* que en todas sus numerosas versiones habla siempre de un solo caballero; pero es curioso quizá el hecho de que don Bueso cabalga "a *buscar* amiga", como Herwig en *Kudrun,* y a la vez es hermano de la cautiva, como Ortwin; de modo que reúne en sí el carácter de los dos caballeros del poema que comparecen ante la lavandera, como lo reúne también el caballero de muchas variantes alemanas de la *Südeli.* Pero dejando esto, que puede ser una sutileza, siempre resulta que la presencia de los dos caballeros en algunas versiones de *Svend-Südeli* nos hace ver que no existe razón ninguna para creer que *Meererin* sea posterior al *Poema de Kudrun* y las otras baladas sean anteriores, pues no hay más diferencia ante unas y otras baladas sino que en *Meererin* los dos caballeros están presentes durante todo el breve relato, mientras en la de *Svend-Südeli* aparecen dos al comienzo y luego uno de ellos es olvidado; y aun nótese bien que en las variantes de la *Meererin* veremos igualmente la eliminación de uno de los tripulantes de la barca y el cambio de los tripulantes en jinetes, es decir las dos mismas mudanzas que más o menos caracterizan la balada de *Südeli* frente a la de *Meererin;* unas y otras baladas, pues, deben derivar del poema que cuenta la fidelidad de Kudrun a Herwig y la aparición de Ortwin y Herwig ante la cautiva lavandera. Y si de todos modos se afirmara que el poeta de *Kudrun* no poseyó la inventiva de cualquier modesto autor de una segunda parte, si se comprobara que él, para continuar la leyenda de Hilde, no inventó el cautiverio y el rescate de la hija de Hilde, sino que tuvo que tomarlos de una canción del tipo *Südeli,* o de otra ficción anterior en la cual sólo el hermano fuese libertador de la cautiva, entonces hay que convenir en que de esa canción, de ese cuento o de lo que fuese, no pueden derivar las modernas baladas de la *Südeli,* alemanas y escandinavas, que contienen un recuerdo de los dos libertadores. Esas canciones modernas tienen que derivar del poema conocido.

Se dirá, sin embargo: si en *Kudrun* hay dos caballeros que comparecen ante la lavandera, ¿cómo aparece uno solo y no el novio en tantísimas variantes de las baladas, así como en todas las versiones de *Don Bueso?* La respuesta es fácil. La canción épico-lírica propende durante su vida tradicional al acortamiento, eliminando elementos accesorios; ahora bien, la presencia de dos libertadores de la cautiva es natural en una canción influída aún de cerca por el poema que relata las aventuras de los pretendientes de Kudrun; pero también es natural que, al rodar en la tradición, la balada, en su proceso simplificatorio, olvidase uno de los dos caballeros por inútil, y que el olvidado fuese el novio, ya que la esencia de la badada está constituída por el reconocimiento final de la pobre lavandera, y los reconocimientos habituales en las ficciones poéticas son entre parientes y en especial entre hermano y hermana; recordemos la anagnórisis de *Ifigenia en Táuride* hecha famosa por Eurípides, y tantas otras igualmente de hermano y hermana, desarrolladas en comedias, baladas o cuentos, y aun concretamente podíamos pensar en un ciclo especial de hermano y hermana que se encuentran desconocidos y tratan de amor, ciclo que comprende obras tan dispares como una de Catulle Mendès y la canción de la *Pastora probada por su hermano*, propagada en Piamonte, Francia, Portugal y Galicia, de la cual se citan análogas en otros muchos países.

4.° EL EJEMPLO ESPAÑOL Y UNA "VISE" OLVIDADA

La literatura épica española, por el tradicionalismo extraordinariamente tenaz que la anima, ofrece ejemplos más abundantes y claros que la alemana, y que ninguna otra, de las relaciones genéticas que existen entre los dos géneros, canción breve y poema extenso; y es bien razonable sospechar que exista una analogía en el desarrollo de la poesía épica de Alemania y de España.

Presumiendo esta analogía, consideremos la opinión de que una balada sin nombres, es decir, breve relato épico-lírico, análoga a la de la *Südeli* moderna y al romance de *Don Bueso*, sirvió de fuente al *Poema de Kudrun*. Tal opinión está (aunque, como es natural, los críticos modernos que la sostienen no lo quieran) fatalmente ligada a la teoría épica de los magnos filólogos del romanticismo, que pretendían descubrir en todos los grandes poemas rastros de breves *lieder* o *romanzen* preexistentes. Bajo el peso de esa teoría, el ilustre romanista vienés Fernando Wolf, siempre que acerca de un mismo tema hallaba en la literatura española un relato extenso y circunstanciado, como lo es el *Poema de Kudrun,* y a su lado un romance épico-lírico, como lo es el *Don Bueso,* daba por evidente que el romance breve era más antiguo y era fuente del romance o poema extenso. Pero contra esta manera de ver, que es también en buena parte la de Milá, yo creo haber mostrado en multitud de ejemplos convincentes que las relaciones genéticas son precisamente las contrarias (40): casi siempre que nos encontramos dos formas fechables de un mismo relato, la más breve y más lírica es posterior a la más extensa y más narrativa; porque el estilo breve, épico-lírico, se suele elaborar justamente al rodar un relato extenso en la tradición oral. En particular, donde tenemos sobre el mismo asunto un poema épico y un romance, siempre el romance es un evidente acortamiento, una simplificación del poema, caso enteramente análogo al de la abreviación de las aventuras de Kudrun en las baladas y romances. Los ejemplos de esto son numerosos e indubitables en las leyendas del Cid, de Fernán González, de Bernardo, de los Infantes de Lara, de Roncesvalles.

---

(40) *Rev. de Filol. Esp.*, 1914-1916; véase en especial, III, 1916, págs. 254-270.

Tomemos como muestra, en la gesta de los Infantes, hacia 1300, el largo desenlace de la acción que refiere cómo el traidor don Rodrigo huye días y días, perseguido por Mudarra y por el padre de éste acompañados de los caballeros de Castilla, hasta que un día, hallándose de caza el traidor, es alcanzado por sus perseguidores; Mudarra obtiene de su padre licencia para luchar él solo con don Rodrigo, a quien aún no ha visto nunca: se avistan los dos enemigos, se reconocen; Mudarra vence a Rodrigo, lo entrega aprisionado a su madre adoptiva, doña Sancha, y ésta pronuncia la sentencia de muerte contra el traidor, que es ajusticiado en horrible suplicio. Junto a esta larga narración de 300 versos, tenemos un romance muy rápido, de 22 versos, en que, andando de caza don Rodrigo, ve venir a Mudarra: los dos se saludan, se reconocen y Mudarra se muestra implacable: "Aquí morirás, traidor, enemigo de doña Sancha." Ahora bien: tenemos en el cantar de gesta el grupo de Mudarra y su padre, mientras en el romance llega solo Mudarra ante el traidor; dos personajes del poema reducidos a uno en el romance, como el hermano y el novio de Kudrun reducidos a sólo el hermano en el romance de *Don Bueso* y en las baladas (al menos en la mayoría de ellas). Y se da el caso de que así como los críticos sospechan que en la forma primera del poema el rescate de Kudrun se hacía sólo por el hermano y no por el novio, en la leyenda de los Infantes de Lara no es ya sospecha, sino certeza, que en una redacción más vieja en un siglo que la arriba resumida, la muerte de don Rodrigo se llevaba a cabo por Mudarra solo y directamente, sin la compañía del padre y sin el suplicio sentenciado por doña Sancha; es decir, se llevaba a cabo como en el romance, que pone solos frente a frente a Mudarra y al traidor. Entonces podríamos deducir (mejor apoyados en textos existentes que respecto al *Poema de Kudrun*) que el romance respondía a una tradición anterior a la del poema de hacia el año 1300, ya que en éste intervienen en la venganza de Mudarra el padre y doña Sancha; y tal deducción sería errónea, pues el romance deriva segurísimamente del poema de hacia 1300, por decir que don Rodrigo va de caza, por presuponer que Mudarra no le había visto nunca y por otros cuatro rasgos más, peculiares todos del poema de 1300, desconocidos en el relato más viejo. La coincidencia entre este relato viejo y el romance es puramente casual: toda balada o romance disminuye el número de los personajes al simplificar la acción del poema de donde toma sus elementos, y puede en esa simplificación coincidir casualmente con formas más arcaicas. Ése, a mi ver, sería el caso, si se llegase a comprobar que, anterior al *Poema de Kudrun* conocido, hubo un rescate de la doncella llevado a cabo sólo por el hermano.

Pues la literatura española, que nos ofrece a montones los ejemplos en que una gesta es la fuente de un romance, en cambio, no nos ofrece casos en que las rápidas, desligadas y escasas imágenes de un romance épico-lírico sirvan de base a la narración amplia y circunstanciada de un poema. No quiero decir que esto último sea imposible, ni siquiera difícil, en otros órdenes de poesía; tampoco pretendo sostener que el desarrollo de los varios géneros de la épica alemana haya de ser necesariamente análogo al de los géneros españoles; pero me parece muy probable que en muchos casos se dé esa analogía entre ambas literaturas en materia tan semejante.

No tenemos idea de hasta qué punto la crítica de la canción tradicional está todavía bajo el influjo de las teorías románticas que miraban la poesía *popular* como primaria y anterior a la poesía *de arte*, juglaresca, erudita o como quiera que ésta fuese. Una canción de relato algo circunstanciado, por antigua que se nos documente, suele ser mirada inevitablemente como tardía y despreciable, en comparación de otra de tono más lírico, más vago, más de tradición popular, que sólo por esto ha de ser creída viejísima, aunque se nos aparezca más tarde que la otra. Así, en el estudio del tema que nos ocupa se ha prescindido por completo de una *vise* danesa, por considerarla muy moderna y sin ningún valor (41), mientras para mí

(41) M. Kübel, aunque menciona la *vise* sueca *Hafsfrun*, de giro mitológico y más lírico (verdad es que la menciona sólo para dejarla a un lado como versión muy tardía, página 18), no se ocupa para nada de la *vise* de *Isemar*, de tono más historial, y sólo la cita a propósito del nombre Hagen, contenido en una de sus variantes y relacionado con unos cuentos de Mecklenburgo (pág. 33). Por no hacerse cargo de Isemar, afirma M. Kübel que la *vise* de *Hafsfrun* deriva de la *Südeli*, trocando la hostelera en hada del mar.

encierra un interés capital: es como la clave para comprender la historia de estas baladas, por lo cual la añadiré aquí a la serie de los tipos estudiados, indicando las analogías con *Kudrun*, aunque no advertidas, evidentes.

Esta *vise* danesa *Der genfundne Soster, 'La hermana encontrada'*, que yo, para distinguirla de tantas otras, llamaré *Isemar*, se conserva en varias copias: *A, B, C* y *D*, de hacia mediados del siglo XVI, en manuscritos de familias nobles danesas; *E*, copiada en 1635; *F*, hacia 1700; *f*, publicada por Syv (fines del siglo XVII), y *G*, copia moderna de la tradición oral (42). He aquí el relato de la *vise*, siguiendo principalmente la copia más antigua, *A*:

Había un conde en tierra de Sajonia; tenía una hija como una azucena. No tenía más que una hija; no tenía más que un hijo: el joven se llamaba don Segelffar, y la doncella Isemar. Luego murió el padre; después murió la condesa, ¡qué gran lástima!, y don Segelffar con aquella azucena rigieron solos la tierra de su padre. = Segelffar tenía que ir a Roma; la doncella Isemar tenía que quedarse en el país. Don Segelffar se fué a Roma; no

---

Ya veremos cuán evidente es que la *vise* de *Hafsfrun* deriva de la de *Isemar*. — GEIJER y AFZELIUS, *Svenska Folkvisor*, II, 1880, pág. 313, nos dicen cómo esa balada de *Isemar* o del Conde de Sajonia fué considerada insignificante, sin atreverse ellos a decidir si tiene relación con la de *Hafsfrun*, de la que luego hablaremos aquí.

(42) Todas en OLRIK, *Danmarks gamle Folkeviser*, número 378.

esperaban que volviese a su casa. Y el rey Hagen navegó a lo largo de la costa y robó a la linda doncella; y volvió a navegar a su país y entregó la doncella a su mujer la reina: "Aquí tenéis una azucena que queremos dar como esposa a nuestro hijo" (43). (Bien se ve que este rey Hagen es el Ludwig de Ormanía, que para esposa de su hijo Hartmut roba a Kudrun.)

Segelffar volvió de Roma; Isemar, su linda hermana, no estaba allí. Don Segelffar hace construir naves muy fuertes: dos son para quedar en defensa de la tierra, y dos para llevar cañones franceses (44) (los siete fuertes navíos que construye Hilda para rescatar a Kudrun; estrofa 1072). Y Segelffar navegó hasta llegar a la corte del rey Hagen; y cuando llegó a caballo a la corte, estaba a la puerta la reina Adellrudt (en el *Poema de Kudrun*, cuando Ortwin y Herwig, al frente de sus guerreros, se acercan al castillo, la reina Gerlinda está asomada en las almenas, viéndolos llegar; estrofa 1400). Cuando llegó Segelffar, halló a la puerta a la reina Adellrudt envuelta en pieles de marta. "—¡Salud, reina tan bella! Nunca he visto señora más hermosa. —Tengo en mi palacio una

---

(43) Lo mismo en *A*, *B*, etc., que en *f*.

(44) En *f*, Guldbrand (= Segelffar) hace construir nueve barcos. La voz *Kartover*, *Kartoger* 'cañones', que emplean estas copias del siglo XVI, es voz reciente en el danés; su primer ejemplo conocido es de 1560, si bien en sueco la palabra se halla desde 1508 (Olrik, pág. 422). La redacción de donde proceden estas copias no es, pues, anterior al siglo XVI.

doncella que es mil veces más hermosa que yo. —Pues yo te daré el purísimo oro si haces que la doncella me escancie el vino." La reina entró en la cámara de la doncella y la despertó: "Levántate, Isemar, vístete; tendrás que escanciarme el vino" (45) (una doncella entra en la cámara donde duerme Kudrun para anunciarle la hora del rescate con la llegada del hermano: "¡Despertad, noble doncella; este castillo está cercado por los caballeros amigos!"; estrofa 1353-1357).

Isemar se levanta, saca del arca sus mejores prendas; se pone camisa de seda, falda recamada en oro, cinturón, sortijas y adornos riquísimos: el rojo oro llega hasta el suelo; y toma un vaso dorado en la mano (46). (La noche antes del asalto del hermano al castillo, Kudrun, reconciliada fingidamente con Gerlinda, recibe preciosos vestidos, lo mismo que sus doncellas, y es obsequiada con el mejor vino que había en Ormanía: era de ver la noble lavandera vestida tan ricamente y tan majestuosa, con su corona; estrofas 1304-1308. También Isemar lleva corona de oro, según *G*, etc.; Ku-

---

(45) Las diferentes versiones que hablan aquí de escanciar no ponen después en acción el acto de servir el vino. En *A*, Isemar replica a la reina: "No me está bien el honor de servir el vino, salvo si estuviera aquí el rey Hagen o mi hermano Segelffar." Isemar recorre su cuarto vistiéndose, etcétera. Semejantemente en *B C D:* "No es bien que yo escancie el claro vino sino al rey Hagen o a mi hermano."

(46) Sigo la versión *B C D* en que se desarrolla el acto de vestirse Isemar, que *A* no hace sino enunciar; las versiones modernas desarrollan también esta escena.

drun reposa en adornada cama, mullida con almohadones de Arabia de color verde como el trébol; estrofa 1326.)

La doncella Isemar salió por la puerta ante Segelffar. Éste le indicó un almohadón azul: "—Sentaos, doncella; reposad aquí; sentaos sobre el almohadón azul y decidme dónde nacisteis y cuál fué vuestra niñez. —Nací en Sajonia, donde pasé mi infancia; allí fueron cortados mis primeros vestidos. Allí pusieron a mi padre bajo la negra tierra, y luego, antes del canto del gallo, murió también mi madre. No tuve más que un hermano, el cual partió para Roma. ¡Ojalá pudiera yo vivir el día tan bueno en que lograse ver a mi hermano feliz!" Él le acarició la blanca barbilla: "—Tú eres mi hermana, tú eres mi carísima hermana." Y ella le estrechó en sus brazos: "—Me iré contigo, querido hermano mío."

Entonces él la subió a su caballo, y se fueron hacia el navío cuanto más pudieron correr: "—¡Adiós, reina, y dile al rey Hagen tantas malas horas como arenas hay en el mar!" (47). Habló

---

(47) Sigo en esta fuga de los dos hermanos a *f*, conforme con las otras versiones del siglo XVII y modernas. *A B C D* cuentan que Segelffar ofreció un día y dos días oro a la reina por la doncella y, como no bastase el oro, tomó su caballo que andaba por el bosque... E inmediatamente se cuenta la despedida irónica a la reina. Aquí observa Grundtvig que este discutir durante dos días el precio del rescate no se aviene bien con la queja final de la reina por la fuga de la doncella. Esa oferta de precio falta en todas las demás versiones. Pero, a pesar de todo, esto

la reina Adellrudt, la bella: "¡Quisiera Cristo que el rey Hagen estuviera en casa! ¡Si el rey Hagen estuviera, no sacarías de aquí a la doncella!" = Desplegaron las velas de seda verde; don Segelffar condujo hasta su tierra a su hermana. (Al rescatar a Kudrun llevándosela por la mano de la presencia de la reina, Wate, el viejo héroe, ironiza también: "Decid, señora Gerlinda, ¿y deseáis aún tal lavandera como ésta? Ya, nobilísima reina, ella no os lavará más la ropa." Y Gerlinda, la mala dueña, se puso a temblar; estrofas 1521-1522... Se embarcaron para su tierra; "las naves corrían, los vientos eran buenos"; estrofa 1562.)

Piensa S. Grundtvig (48), el sabio ilustrador de esta *vise*, que el carácter detallista y circunstanciado de la versión contenida en los manuscritos de los nobles del siglo XVI es prueba de mayor modernidad de esa versión respecto a las otras más líricas y breves recogidas de la tradición oral en nuestros tiempos. Esta manera de ver está influída por la susodicha teoría romántica que tan a menudo, como en este caso, hace que la crítica suponga, a contrapelo, más moderna la versión que se nos documenta más antigua. La literatura española tiene

---

pudiera ser original, entendiendo que, al ver que la reina no se conforma con el oro, Segelffar arrebata a la doncella. = La despedida irónica de Segelffar la pone *b* después: Desplegaron las velas, deseando a la reina Ellen mil buenas noches (en Olrik, pág. 442).

(48) *Danmarks gamle Folkeviser*, 1898, I, 422-423.

aquí que ser invocada otra vez: ella nos ofrece multitud de casos en que un romance de estilo circunstanciado o juglaresco es la base de un romance más breve épico-lírico (49); porque, repito, el estilo épico-lírico de la llamada "canción popular" no es por lo común un estilo originario o primitivo, sino al revés, es un estilo secundario que se va elaborando al transmitirse oralmente un relato que nació por escrito y en estilo amplio. Considerando esto, desde hace mucho, propongo que se llame poesía *tradicional* a la que comúnmente se llama *popular*, por ser engañoso este nombre, engendraror de graves errores (50).

En el caso de la *vise* de *Isemar* creo indudable que las versiones copiadas por los nobles daneses a mediados del siglo XVI, precisamente por ser algo más circunstanciadas en su relato y pese al postizo de los "cañones franceses", son más arcaicas que las copiadas en los siglos posteriores; opinión la más natural a no sentirnos bajo la influencia de un prejuicio; y creo además que, anterior a la versión del siglo XVI, hubo en Dinamarca o en Alemania otra versión más circunstanciada todavía. Y esta *vise* de *Isemar*, más narrativa que las

---

(49) En mi obra *Epopeya y Romancero* (en prensa) expondré muchos más casos iguales a los que aduzco en el citado estudio de la *Rev. de Filol. Esp.*, III, en especial páginas 259 y sigs., 262 y 263, abajo.

(50) *Rev. de Filol. Esp.*, 1916, III, 270-276, y *El Romancero, teorías e investigaciones*, [1927], págs. 1-60, ensayo escrito en 1922.

otras baladas, tiene, a mi ver, la gran importancia de proporcionarnos uno de los principales apoyos para reconstruir la balada original de donde todas proceden, pues ella está más cerca de las escenas en el castillo de los raptores de Kudrun que todas las otras baladas, y ella nos muestra cómo la trama épica del poema se popularizó, transformándose en trama novelesca y simplificándose en extremo.

Observa Grundtvig, apoyando la modernidad que él cree descubrir en el carácter circunstanciado de la versión de los nobles daneses, que revela poca habilidad en el poeta refundidor el hablarnos del apresto de los navíos de guerra cuando después va a actuar sólo el hermano. No ve Grundtvig que esos navíos son otro órgano atrofiado (como dijimos era el segundo caballero en la *vise* de *Svend*), órgano que en el *Poema de Kudrun* tiene sus funciones vitales bien definidas, y cuya desaparición total en las versiones posteriores de *Isemar* obedece a un proceso habitual en la evolución de las baladas, como vamos a explicar.

5.° Estado primitivo de la balada alemana

Hubo sin duda en Alemania otra y otras versiones del tema de Kudrun rescatada, más detalladas que todas las que hoy conservamos en los varios países. Del *Poema de Kudrun*, falto de unidad, un juglar debió de escoger la segunda parte, la más novelesca y de gustos nuevos (desechando la primera, más heroica y vieja), para vulgarizarla resumida en un relato bastante extenso; ese relato contendría todos los episodios del poema recordados en las diferentes canciones hoy conocidas. Pero este relato, aunque extenso, no lo sería tanto como los romances españoles del *Conde Dirlos* o del *Marqués de Mantua,* ni mucho menos; tendría, según cálculo, de 100 a 200 versos.

Paso a exponer a continuación cómo creo yo que se hallaban en esa más vieja balada juglaresca los once momentos en que al principio de este trabajo dividí la acción de la segunda parte de *Kudrun,* y cómo creo que la balada se ramificó para producir las versiones conocidas en tantos países.

Tipo primitivo: Balada alemana, perdida; narración extensa de unas 50 estrofas. Seguramente alteraría los nombres de la epopeya, de los que no hay rastro en ninguna versión conocida. Los nombres conservados hoy difieren mucho en cada grupo de versiones. Yo mantengo los nombres épicos para comodidad del recuerdo.

1.° Los reyes Hetel y Hilda tienen un hijo, Ortwin, y una hija, Kudrun. El rey muere; el hijo va en peregrinación, y, durante su ausencia, el rey Ludwig llega por mar y roba a la doncella, de la cual hace entrega a su mujer, la reina Gerlinda, pues la quieren casar con su hijo Hartmut [Isemar]. (El papel de este pretendiente Hartmut queda, desde luego, muy poco destacado, por no intervenir en el rapto.)

2.° Gerlinda hace que Kudrun trabaje en faenas caseras [Svend], encender el fuego [Bueso] y lavar la ropa [Bueso, Meererin, Svend].

3.° Vuelve de su romería Ortwin [Isemar], pregunta a su madre por la hermana y sabe que está cautiva en poder de Gerlinda [Hafsfrun] (51); arma naves y se dirige a la corte de Ludwig y Gerlinda [Isemar].

4.° Una mañana al salir el sol, Kudrun está lavando [Meererin, Bueso, Svend]; lava las ropas de Gerlinda [Bueso].

5.° Ante la lavandera llegan en una barca el hermano Ortwin y el novio Herwig [Meererin, Mâre y Kate] (52); o bien, según otras variantes, llegan dos caballeros a caballo (desembarcados, se entiende) [Svend; un solo caballero Bueso]. Saludos mutuos, sin reconocerse los tres [Meererin, Kate, Mâre, Bueso].

6.° Los recién llegados ofrecen anillos de oro a la doncella (no, como en la epopeya, para obtener informaciones, sino para hablar de amor; el hermano y el novio confunden así sus papeles); Kudrun rechaza los dones [Svend, Meererin]; variante de requiebros, sin dones [Bueso].

7.° Kudrun habla de sus padres y de su hermano; probablemente, como en *Kudrun,* habla

---

(51) De esta balada escandinava hablaremos después y veremos que deriva de una versión de *Isemar.*

(52) Véase abajo, sobre estas dos variantes derivadas de *Meererin;* y véase la nota aquí inmediata, donde se apoya la presencia del novio.

también de su novio Herwig y de su pretendiente Hartmut (53); el hermano y la cautiva se reconocen [Svend]. (Igual reconocimiento se aplaza para desarrollarlo en la corte de Gerlinda [Isemar, Hafsfrun, Südeli], o se aplaza para el viaje de regreso [Bueso].)

8.° Kudrun tira al agua o abandona la ropa de la reina [Bueso, Meererin]. Luego regresa al castillo, porque Ortwin la deja allí, pues prefiere arrebatar su hermana a la reina (esta actitud del hermano falta en todas las baladas conocidas, pero es necesaria para llegar al número siguiente).

9.° El hermano, a caballo, después de desembarcar [Isemar], y otros caballeros con él [Südeli] se acercan al castillo de Gerlinda. Ésta se halla a

---

(53) En la preciosa *vise* danesa de *Vilmer* conservada en un manuscrito del siglo XVII (*Danm. g. Folk.*, núm. 379), que no es sino una variante de *Isemar*, no es el hermano el que se presenta ante el castillo de la condesa y hace que ésta despierte a la doncella, sino que es el novio, Nielus (Nicolás), y cuando la doncella, vestida espléndidamente, sale ante él con dos vasos de plata en las manos y contesta a su pregunta, le dice: "Mi padre era rey, mi madre la reina, Nielus mi novio...", y así se reconocen. Quizá los dos vasos, que también se mencionan en algunas versiones de *Isemar*, suponen la presencia de dos caballeros, el hermano y el novio. = En cuanto al pretendiente Hartmut, advertimos que en una variante danesa de la *vise* de *Svend*, la doncella, que bajo el tilo habla con el caballero recién llegado, le confiesa que la apalabró un caballero de Skkaane, y el recién venido le replica: "Esos caballeros de Skaane son engañosos; abandónalos y te daré mucho oro. —¿Y qué diré a mi ama cuando me vea llevar el rubio oro?", etcétera. (*Danmarks gamle Folkeviser*, núm. 381, variante *A*.)

la puerta del castillo y habla con Ortwin de la hermosa doncella que tiene dentro [Isemar, Südeli]. Ortwin ofrece mucho oro si la reina hace salir la doncella. Gerlinda entra a despertar a Kudrun, y la doncella sale ante su hermano [Isemar, Hafsfrun.]

10.° El hermano sube en su caballo a la hermana [Isemar, Hafsfrun, Südeli, Bueso], y huye con ella hacia las naves [Isemar], profiriendo burlas a Gerlinda y al rey Ludwig [Isemar, Hafsfrun]. Desplegaron las velas [Isemar, Meererin], mientras la reina Gerlinda se lamentaba: "Si estuviera en casa mi señor el rey, no la robarías de esta manera" [Isemar, Hafsfrun].

11.° Llegados a su tierra (54), la madre no reconoce a Kudrun en el primer momento; luego la abraza [Bueso, Südeli]. Alegría y fiestas [Südeli, Bueso, Isemar *E*, etc., Meererin]. Casamiento de Kudrun [Isemar *b*, Svend].

Una balada así que haya servido de original a todas las existentes es la suposición más segura, aunque no es la única posible. Atendiendo a que en ninguna balada moderna hay rastro de la separación de Kudrun y de Ortwin después del encuentro primero de los dos hermanos, según decimos en el número 8.°, pudiera pensarse que hubo

---

(54) En *Isemar*, variante *E*, quince caballeros reciben a Isemar y quince doncellas la seguían a caballo; variante que puede ser muestra de cuántos personajes secundarios manejaba la canción en su narración más antigua y más amplia.

desde el comienzo dos relatos diversos con un solo encuentro cada uno: el primero con el encuentro en la escena del lavado y rescate inmediato [Meererin, Bueso, Svend], y el segundo con el encuentro en el castillo, prescindiendo del lavado [Isemar, Hafsfrun, Südeli]. Pero una de las canciones del primer grupo que prescinden del encuentro en el castillo y desarrollan el del lavado, la canción de *Svend,* tiene relaciones tan íntimas con las segundas, las del encuentro en el castillo, que nos inclina a la conclusión de que los dos encuentros se hallaban referidos en el original remoto de todas, pues se hace difícil suponer que la canción de *Svend* perteneciese originariamente al primer grupo y luego recibiese por mera contaminación todos los caracteres que la hacen semejante a las canciones del segundo grupo.

Las canciones modernas se distribuyen sin duda en dos grupos, pero lo más probable es que la caracterización de ellos no hayamos de buscarla principalmente en que el rescate de la doncella sea tras el encuentro cuando el lavado o tras el encuentro en el castillo, sino en otros rasgos más particulares, y así la canción de *Svend* pasará al grupo segundo.

Suponiendo, en consecuencia, que la canción original refería los dos encuentros, era una necesidad que uno de ellos se suprimiera en el curso de la tradición, pues ya en el poema original el lector moderno no comprende bien cómo el hermano y el novio, al reconocer a Kudrun en el miserable estado de lavandera, no la llevan en seguida a sus naves, sino que la dejan expuesta a los malos tratos de Gerlinda; en mi resumen del punto 7.° del poema he destacado la frase de Ortwin que explica esto dentro de los sentimientos caballerescos arcaicos, pero los análisis que en las historias literarias alemanas se suelen hacer de la acción épica, no haciéndose cargo de esa frase, manifiestan extrañeza ante la actitud del hermano que así abandona a la hermana. Esa extrañeza hubo de impulsar a varios refundidores de la canción larga, independientemente uno de otro, a suprimir en varias maneras uno de los dos encuentros, supresión que, ya sin el referido arcaísmo en el porte del hermano, estaría muy indicada por la natural tendencia al acortamiento que en toda canción popular se observa al pasar de boca en boca. Además, mejor que dos baladas, cada una con un reconocimiento muy precisamente situado, parece haber habido una con la escena de reconocimiento algo ambigua y reiterante, toda vez que las tres únicas versiones que desarrollan la totalidad de la acción tienen el reconocimiento (núm. 7.°) trastrocado; en *Isemar* y *Südeli* el número 7.° va tras el 9.°, y en *Bueso,* el 7.° va tras el 10.° Adviértase, por último, que en el mismo *Poema de Kudrun* se da la reiteración del reconocimiento, pues después de la escena del lavado a orillas del mar, hay otra dentro del castillo mientras el combate de los asaltantes: Herwig ve a Kudrun asomada a una ventana y, no reconociéndola, le pregunta su nombre. — Me llamo Kudrun, hija de Hagen; tan rica como fuí, tan poca felicidad disfruto ahora. —¡Oh mi amada señora!, yo me llamo Herwig... Y Kudrun intercede para que no maten a Hartmut (estrofas 1483-1487) (55).

La balada original (aceptemos dubitativamente que era una sola) estaba seguramente redactada en estilo narrativo o juglaresco; pero se perpetuó en la tradición oral, rodando cada vez más en la memoria y en la fantasía de innumerables recitadores y refundidores, sometida al común proceso de ir poco a poco sustituyendo el estilo amplio épico por el estilo breve épico-lírico. Ya la balada original eliminaba gran masa de episodios del poema; si no desechaba los séquitos de corte y los ejércitos, rehuía el relatar sus operaciones, encomendando la acción principal a sólo cuatro personajes: la princesa, la madre, el hermano y la reina enemiga; mencionaba también al novio, al pretendiente en el cautiverio, al padre de la heroína y al marido de la reina enemiga, pero estos otros cuatro personajes secundarios fueron olvidándose en el curso de la tradición oral, y hasta se olvidó también uno o dos de los cuatro principales; además, en el bien conocido proceso de sustituir el ambiente épico por el novelesco, se olvidaron casi generalmente los ejércitos y las naves, dejando obrar sólo a los individuos aislados, como se hizo, por ejemplo, en el romance de Mudarra, aludido arriba, en el cual los ejércitos tam-

---

(55) Después de acabada la pelea, los cansados guerreros hegelingos dejaron las armas y se dirigieron hacia las doncellas; Kudrun, con amable saludo, recibió a los dos (Ortwin y Herwig); estrofa 1532.

bién fueron eliminados para dejar solos frente a frente al vengador y a su enemigo.

Veamos al pormenor cómo se desarrollan los dos grupos de versiones que hemos mencionado.

6.° GRUPO PRIMERO DE VERSIONES MODERNAS: "BUESO", "MEERERIN"

El grupo primero deriva de una versión alemana, también perdida como la original, y que se caracterizaba por fijar sobre todo su atención en la princesa lavandera y en el lavado como un mal trato, un castigo a que está sometida la protagonista. Se caracterizaba también porque cuando la princesa tira la ropa de la reina al agua no la arroja toda, sino que se reserva alguna prenda preciosa. En fin, suprimía el segundo encuentro de los hermanos en el castillo, número 11.°, concentrando la acción alrededor del encuentro de la lavandera.

Dentro de estas líneas generales se produjeron dos variantes. Hubo de este tipo una versión alemana completa, la cual emigró a España en época bastante antigua y fué imitada en el romance de *Don Bueso* (las versiones más largas tienen unos 65 versos de 12 sílabas). Este romance, aunque no recogido en las colecciones del siglo XVI, sino sólo en las modernas, tiene que ser bastante anterior a la expulsión de los judíos de España, ocurrida en 1492, pues se canta hoy en todas las colonias judías del oriente de Europa, de Asia Menor y de

Marruecos; lo cual quiere decir, hallándose esas colonias muy dispersas y aisladas unas de otras, que todos los judíos de la Península llevaron consigo el romance al destierro. Pero a la vez no debía de estar muy divulgado nuestro romance, pues en su forma más arcaica de verso hexasílabo, que es la usada por los judíos españoles, sólo es conocido hoy en el noroeste de la Península, ocupando el resto de España una forma posterior, redactada en verso octosílabo; además, la poca difusión del romance en los siglos XV y XVI se descubre también por el hecho de que conservándose tres menciones de romances relativos a un personaje, "Don Bueso", hechas hacia 1440 y cien años después, ninguna se refiere al Bueso rescatador de su hermana, sino a otro sin duda más famoso entonces, aunque hoy nos es desconocido. Podemos fechar, pues, la primera difusión de nuestro romance entre 1450 y 1480.

El esquema del romance de *Don Bueso*, dividido en los once momentos consabidos, es éste:

1.° Hija de un rey cautivada por los moros y entregada a la reina mora; ésta teme que su marido se enamore de la joven.

2.° La reina, celosa, da mal de comer a su cautiva, la hace trabajar en la cocina o en el horno, y la hace ir con la nieve y el temporal a lavar la ropa. (Multitud de versiones suprimen todo este exordio 1.° y 2.°, del cautiverio, y comienzan con el encuentro de Bueso y la lavandera.)

3.° Cabalga don Bueso ("a buscar amiga"; alteración que sin duda existía en algunas versiones de la primitiva balada alemana, pues la vemos reaparecer en el tipo de la *Südeli;* y tanto al final de *Bueso* como de *Südeli* la madre cree que el hijo viene acompañado de una esposa).

4.° Al amanecer, la cautiva lava las ropas de la reina.

5.° Llega el caballero ante la lavandera; saludo (o en la mayoría de las variantes peninsulares un mandato: "deja a mi caballo beber").

6.° Bueso propone a la cautiva llevársela consigo (suprimidos los dones). En las variantes judías de Oriente, Bueso comienza a hablar con un requiebro: "¡Oh, qué lindas manos!"; en las variantes peninsulares ella exige un juramento de honor, lo cual equivale en cierto modo al honesto rechazo de los dones.

8.° La cautiva, accediendo a ser libertada, tira la ropa de la reina al agua, pero lleva consigo las prendas más ricas.

(9.° Suprimida la ida al castillo, con las escenas allí.)

10.° Bueso lleva en su caballo a la cautiva.

7.° La doncella (al llegar a su patria reconoce los lugares donde ha nacido) habla de sus padres y de su hermano; Bueso reconoce a su hermana.

11.° Llegados ante la madre, ésta cree recibir a su nuera; y cuando oye que aquella es su hija, la desconoce en el primer momento; luego la abraza. Alegrías; en algunas versiones, fiestas.

Se observa el trastrueque del número 7.°; pero hay versiones judías de Oriente en que el caballero, al llegar ante la lavandera, recuerda las manos de su hermana, y algunas versiones ponen entonces el reconocimiento de los dos, aunque contado confusamente; en otra versión de Marruecos (Tetuán) también el caballero descubre que la lavandera es su hermana antes de invitarla a irse con él; pero siempre hay manifiesta dislocación de los versos del reconocimiento, que por aludir a los campos de Oliva, patria de la cautiva, muestran pertenecer al momento en que los caminantes llegan a su tierra. Sin embargo, es probable que estas versiones judías estén influídas por otra perdida, en la cual no ocurriese esa alusión a la vista de los campos patrios. Algunas versiones alargan por el final la escena en que la madre desconoce a su hija; otras versiones de las octosílabas contaminan el diálogo del reconocimiento con el del otro romance, *El caballero burlado;* pero a pesar de estos y otros cambios, la trama de la acción permanece esencialmente invariable.

¿Cómo llegó a España el tema de *Kudrun?* Pudo muy bien ser que un peregrino a Santiago o un emigrado alemán cualquiera trajese en su memoria la balada y la comunicase a un poeta del noroeste de España, al autor del romance en verso hexasílabo. Esto respondería bien a la falta en Francia de una canción hermana de las demás derivadas de *Kudrun.* Pero es que tal falta parece que no es sino moderna y que antiguamente recibió Francia también una canción de *Kudrun,* de la que ahora quedan sólo restos deteriorados. En una canción bretona, la reina madrastra hace a la princesa lavar ropa y la difama ante el hermano cuando éste llega después de larga ausencia; el hermano busca a la lavandera y solicita su amor; ella le rechaza indignada y nombra a su padre el rey y a su hermano, que a estar presente castigaría el ultraje que ahora ella recibe; él le dice que es su hermano, que ha querido probarla (56). Vemos aquí claramente la balada de *Kudrun* (princesa condenada a lavandera por una reina enemiga, hermano que le habla de amor) contaminada con los temas de la madrastra y de la prueba. Y aún la aventura de *Kudrun* dejó otra huella en el sur de Francia y en el Piamonte, en la canción de *La sorella vendicata*, y es el pormenor de encontrar los tres vengadores a su hermana lavando en la fuente camisas, o una camisa; este rasgo es extraño a las crónicas antiguas de donde *La sorella vendicata* proviene, crónicas que refieren la venganza que Clotilde, esposa del rey visigodo Amalarico, pide a sus tres hermanos y obtiene de uno de ellos (57). Es de notar que ya G. Paris, al leer en *La sorella vendicata* el verso en que la humillada hija del rey lava la camisa en la fuente cuando se le presentan los vengadores, recordó, como

(56) LUZEL, *Chants populaires de la Basse Bretagne*, I, 203. 207.

(57) Véase NIGRA, *Canti popol. del Piemonti*, 1888, página 38, y DONCIEUX, *Le Romancéro populaire de la France*, 1904, págs. 192-194. Ninguno de estos dos autores ilustra el encuentro en el momento de lavar la camisa. Gregorio de Tours dice únicamente que Clotilde envía la camisa ensangrentada a su hermano, como testimonio de los malos tratos que le da el marido.

no podía menos, aunque de pasada, a la noble Kudrun lavando ropa a la orilla del mar (58). Ahora bien, si en Francia se cantó una canción de *Kudrun*, es lo más probable que el *Don Bueso* provenga de Francia y no de Alemania.

La misma balada alemana que dió origen al *Don Bueso*, u otra muy análoga (con los tres caracteres dichos en la página 140, se conservó en una forma muy acortada, que fijaba toda su atención tan sólo en el momento en que ante la infeliz lavandera llega la barca con dos caballeros. Todo lo demás le importó muy poco: olvidaba al comienzo el cautiverio; y luego, el reconocimiento de los dos hermanos y la vuelta a la patria lo remataba en forma tan rápida y confusa, que ocasionó gran oscuridad y cambios de desenlace en las versiones derivadas que hoy se conservan.

Éstas se pueden agrupar en tres ramas, todas ellas conocidas tan sólo en versiones halladas en el islote lingüístico de Gottschee, olvidadas ya en Alemania. La emigración de bávaros y austríacos a Gottschee ocurrió hacia 1360, y surge la cuestión de si la balada ha de ser por fuerza anterior a esa fecha. No lo creo seguro, ni mucho menos: Gottschee dista poco más de 100 kilómetros de las poblaciones germánicas de Estiria y Carintia, y habiendo estado el país eslavo de Carniola y Gottschee sometido hasta ayer al imperio alemán o al austríaco, ¿cómo asegurar que los emigrados del siglo XIV no recibieron cantos alemanes en el si-

(58) *Journal des Savants*, 1889, pág. 615.

glo XVI o después? (59). Pero sea lo que fuere, es lo cierto que la balada moderna de Gottschee es mucho más arcaica que la alemana moderna.

La versión mejor es la balada de *Meererin*, cuyos caracteres reduciré aquí a la habitual articulación comparativa.

(1.°, 2.°, 3.° Suprimido el cautiverio; los malos tratos de la reina dejaron un recuerdo en la frase que Meererin pronuncia en el número 5.°: "pocos buenos días tengo yo".)

4.° Muy de mañana la hermosa Meererin lava a orillas del mar (no se dice por qué lava ni para quién).

5.° Llega una barca con dos desconocidos; saludo.

6.° Anillo ofrecido; rechazado por ella.

(7.° Suprimida la conversación acerca de la familia de la lavandera; los dos jóvenes parecen reconocer a Meererin, pero no se dice qué relación tienen con ella.)

8.° Meererin, al dirigirse a la barca, se lleva un pañizuelo (se omite el arrojar la otra ropa al mar).

(9.° Suprimida la ida al castillo y demás.)

10.° Viaje de regreso en la barca (no se dice adónde).

---

(59) Los judíos españoles emigrados a varios miles de kilómetros de la Península recibieron, más de un siglo después de su emigración, algunos romances españoles, según pruebo en *El Romancero, teorías e investigaciones* [1927], pág. 119.

11.° Un recibimiento cariñoso (no se dice por quién; olvidada la madre de la doncella).

Esta versión, excepcionalmente fiel al primitivo tema del encuentro, aunque tan confusa en lo demás, ofrece en el mismo territorio de Gottschee otras dos redacciones (60), que derivan en su final hacia un desenlace diverso, contaminadas con varias canciones de origen eslavo; mas a pesar de apartarse así de la redacción originaria, la primera que vamos a aducir esclarece la condición de hermano y novio que tienen los dos tripulantes de la barca, siempre incógnitos en la balada de *Meererin*.

Segunda redacción: *La bella Kate* (o sea Catalina), conocida en cinco versiones (de unos 40 versos); contiene nombres y palabras de origen eslavo, y su desenlace procede de una canción eslovena.

(1.°, 2.°, 3.° Suprimidos, como en las otras dos redacciones análogas.)

4.° "¡Qué de mañana se levanta la hermosa Kate...", como en la de *Meererin;* "Kate lava a orillas del mar, y llora" (en algunas versiones Kate trabaja en el campo, en vez de lavar).

5.° Llegan dos señores en una barca; saludos (en algunas versiones llegan dos soldados a caballo, o uno solo).

---

(60) Las versiones impresas son enumeradas y las inéditas publicadas por M. Kübel, págs. 7-10 y 54-63. En la página 8 prueba el origen eslavo de las baladas que contaminaron el desenlace de las de que tratamos.

(6.° Suprimidos los dones ofrecidos a la doncella.)

7.° El reconocimiento está muy alterado: a la pregunta de por qué llora, la lavandera (o la labradora) responde que hace siete años que su hermano y su novio se han ido a la guerra.

(8.°, 9.°, 10.°, 11.° Sustituído todo el resto. Uno de los recién llegados —el novio— pregunta a la doncella, sin descubrirse, a cuál de los dos ausentes preferiría, y cuando oye que al hermano, quiere matarla, pero el hermano se lo impide; situación diferentemente tratada según las versiones.)

Tercera rama: balada de *Mâre,* diez versiones (de 30, 60, 40 versos) ; en unas la doncella se llama Mâre, esto es, María; en otras se llama Meererin, como en la redacción primera, y en otras Kine, o sea Regina. Esta rama está contaminada con una canción eslovena, como lo indica el nombre eslavo del protagonista, y el llamarle "moro" algunas versiones ("schwarzer Mohr"), imitando en esto conocidas canciones eslovenas de la costa del Adriático, que tratan el tema de la doncella raptada por un moro. Sus rasgos son:

(1.°, 2.°, 3.° Omisión del prólogo del cautiverio.)

4.° "¡Cuán de mañana se levanta la hermosa Mâre y va a orillas del mar a lavar la blanca ropa! Lava y llora amargamente..."

5.° Llega un barco con dos señores (según dos solas versiones; otra habla de tres tripulantes; las demás presentan un solo señor, o un marinero, o un moro) "—Buenos días, hermosa Mâre. —Pocos buenos días tengo yo..."

(6.°, 7.°, 8.° El resto de la balada se dirige ya hacia otra aventura. La lavandera expone a su interlocutor la causa de su llanto: tiene un marido viejo y un hijo, o un hijo y una suegra, que le hacen pasar mala vida. El barquero la invita, de varios modos según las versiones, a entrar en su barco.)

(9.° Supresión de las escenas del castillo.)

10.° El barco se hace al mar con la joven (a pesar de los lamentos de ella; es decir, tema del rapto, extraño a la balada de *Meererin*).

(11.° La llegada no es a casa de la madre, sino al palacio del raptor, donde éste tiene a la doncella siete años como esposa o como ama de casa. Al cabo de ese tiempo, ella desea ver a su hijo y vuelve a pasar el mar...; diversos finales según las versiones.)

7.° GRUPO SEGUNDO DE VERSIONES MODERNAS: "SVEND", "ISEMAR", "HAFSFRUN", "SÜDELI"

La segunda redacción de la balada extensa y primitiva se caracterizaba por olvidar casi por completo los malos tratos que la reina enemiga da a la cautiva. La doncella hace algunos servicios domésticos, pero no es en calidad de castigo; así, aunque lava ropa, no tiene cabida el otro tema de tirar al agua las prendas de la reina, suprimiéndose por tanto el número 8.° La balada, en vez de destacar el humilde oficio de lavandera, se fijaba más bien en el oficio nobiliario de escanciadora del vino (el escanciano era un oficio antiguo de la corte de los reyes). Esta segunda redacción, a diferencia de la del grupo primero (según la hipótesis de una sola balada primitiva) (61), conservaba los dos encuentros de los hermanos: el de la lavandera y el de la escanciadora, o sea el del castillo; pero como esta duplicidad no podía subsistir al acortarse la balada para llegar a la tradición moderna, las versiones conservadas prescinden ora del encuentro del castillo, ora más bien del de la lavandera, ya que, según decimos, el lavado no tiene en este grupo la importancia de constituir un singular castigo, y, en consecuencia, carecía de todo interés dramático. Una variante muy propagada en este segundo grupo hacía que en la escena del reconocimiento, número 7.°, la doncella refiriese que su padre y su madre habían muerto, eliminando así de la escena final a la madre.

Esta segunda redacción emigró a los países nórdicos acortada en dos maneras diferentes: una con sólo el encuentro de la lavandera *(Svend)*, y hoy la conocemos en estilo plenamente épico-lírico; otra con sólo el encuentro en el castillo *(Isemar)*, en es-

---

(61) Sería posible también (lo repito) la otra hipótesis, la de dos baladas originarias en vez de una sola: una de ellas la de *la lavandera*, con sólo el primer encuentro, y otra la de *la escanciadora*, con sólo el segundo encuentro; la primera habría dado origen a las tres variantes, *Bueso*, *Meererin* y *Svend*, y sólo posteriormente la *vise* de *Svend* habría sido hondamente influída por la de *Isemar*. Pero esto se me hace difícil, según ya dije y ahora insistiré en ello.

tilo más narrativo; ambas derivan de la variante que supone muertos al padre y a la madre de la doncella.

La *vise* de *Svend* (las versiones más largas tienen 38 ó 36 versos) se halla difundida por Dinamarca, Suecia, Noruega e Islandia (62). La primera versión recogida es la danesa de 1651. Cree M. Kübel que esta *vise* pertenece al grupo del *Don Bueso* y no al de la *Südeli,* fundándose para esto en que *Bueso* y *Svend* contienen la escena de la lavandera; lo creo defendible, y mi primera impresión fué también ésa; pero creo mejor agrupar a *Svend* con *Isemar-Südeli* (arriba, pág. 136), porque, en primer lugar, la escena del lavado debemos suponerla existente también en el prototipo de la *Südeli,* y después el que en esta balada de la *Südeli* la hostelera ofrezca criar a la niña "como una madre a una hija" nos lleva derechamente al ama cariñosa de la *vise* nórdica, que educa con amor maternal a su pupila, eliminando a la reina malévola, rasgo esencial de nuestro segundo grupo de canciones, en que los trabajos que la joven ejecuta son meros quehaceres y no castigo. Así, aunque la *vise* de *Svend* conserva el tema del lavado, lo conserva sin el menor interés y con propensión a olvidarlo; véase el número 4.°, y además el 1.° y

---

(62) GRUNDTVIG OG OLRIK, *Danmarks gamle Folkeviser,* I, 1898, núm. 381, siete versiones: *A,* de 1651; *B,* de 1695; *C-G,* del siglo XIX. Los colectores la titulan *Svend og hans Söster;* en la versión noruega el hermano se llama *Svein.* Arriba, notas de las páginas 8, 18, 19, nota 3.

el 7.°, donde se notan analogías con *Isemar* y *Südeli*, difíciles de explicar si agrupamos *Svend* con *Bueso*.

El esquema de la *vise* de *Svend* es éste:

(1.°, 2.°, 3.° Suprimido el prólogo, como en tantísimas otras versiones de las baladas hermanas. Se dice en el número 7.° que la doncella fué entregada por su hermano a una madre adoptiva, quien la educó esmerada y virtuosamente. Entre las faenas que esta "ama cariñosa" enseña a la doncella, están el hacer el pan y la cerveza (63) y el servir la mesa de los nobles (64), lo cual recuerda el vino escanciado por *Isemar* y por la *Südeli*.)

4.° La doncella está lavando a orillas del lago o del arroyo (o junto a un bosquecillo, o en el pozo del patio; o simplemente se halla a orillas del lago o junto a una fuente, o debajo del tilo, olvidado ya el tema del lavado (65); alguna versión expresa que ve salir el sol.

---

(63) Variantes 2.ª y 3.ª suecas.

(64) Variante 1.ª sueca. En las versiones danesas, noruega e islandesa no se habla de las labores enseñadas por el ama. En la danesa *B*: "... doncellas forasteras me enseñaron a coser."

(65) Olvidan el lavado: la primera de las tres versiones suecas de Geijer y Afzelius (la doncella se fué a orillas del lago); entre las versiones danesas de Olrik, la *A*, que proviene de un manuscrito de 1651 (Cabalga el caballero a cazar la cierva | encontró con la doncella debajo del tilo); la *D*, recogida en 1881 y análoga a la *A*; la *C* (Elisa a orillas del arroyo), cuyo comienzo copiamos arriba, páginas 115-116; la *E*, de 1874, y la *F* (en el rosal); la *G*, de 1844 (debajo del tilo).

5.° Llegan dos caballeros (en seguida ya no se habla sino de uno solo; en otras versiones llegan *los* caballeros, o *diez* caballeros; en otras llega sólo uno. No hay saludo).

6.° El caballero pide su amor a la doncella y le ofrece oro, o cintas de oro, que ella rechaza.

7.° La doncella habla de sus padres (ya muertos; alguna variante los hace morir simultáneamente: "Nací antes del canto del gallo y mi madre murió antes de rayar el sol; y cuando ponían a mi madre bajo la negra tierra, entonces doblaban las campanas por mi buen padre" (66), expresiones análogas a las que veremos usa la *vise* de *Isemar*); la doncella habla también de su hermano. Reconocimiento de los dos.

(8.°, 9.°, 10.° Suprimido el resto. La versión danesa *A*, la noruega y la islandesa acaban con las palabras en que el caballero reconoce a su hermana; en la versión tercera sueca de Geijer, el hermano añade unas frases en loor de la honestidad de su hermana.)

11.° El hermano ofrece a la hermana casarla con el mejor caballero, o hacerle bodas que serán famosas, según las versiones primera y segunda suecas y la danesa *B*. (En ninguna interviene al final la madre, pues se la supone muerta.)

El autor de esta refundición no se para a explicar cómo el hermano, que llevó él mismo su hermana a la madre adoptiva, ignora el paradero de

---

(66) Así la versión sueca número 1 de Geijer y Afzelius, la versión noruega y la islandesa.

tal hermana. La primera versión sueca de Geijer es la única que intenta razonar las cosas, dejando suponer que el hermano requiere de amores a la hermana para probar su virtud, pues al oír las honestas declaraciones de la joven le dice: "Gracias, hermana mía, por esas palabras; tú eres mi hermana, yo tu hermano. Si hubieses escuchado mi petición, mi espada te hubiera derribado al suelo. Sirvo en la corte del rey..., etc."; pero este nuevo giro de la balada es una imitación de otras canciones tituladas: *Libesprobe*, en Alemania; *L'épreuve*, en Francia; *La pastora probada por su hermano*, en Galicia y Portugal; *Tentazione*, en el Piamonte. Todas las demás versiones nórdicas quedan ajenas a esta contaminación (67).

La segunda versión escandinava, *Isemar* (la versión *A* tiene 76 versos) que se fija sólo en el encuentro del castillo, se nos conserva en diversas versiones danesas, las más antiguas de mediados del siglo XVI, como ya dijimos. Su contenido se puede analizar de este modo:

1.° Isemar, hija del conde, queda huérfana de ambos padres, y su hermano se ausenta; robada por un rey enemigo y entregada a la reina para desposarla con el hijo del rey raptor. (Este exor-

(67) Los editores suecos, Geijer y Afzelius, hicieron mal en titular *Pröfningen (La prueba)* las tres versiones que publican, pues ese título sólo conviene a la primera versión. Ellos indican las variantes alemanas de la canción *Libesprobe;* para las de otros países véase TH. BRAGA, *Romanceiro geral portuguez*, III, 2.ª edic., 1909, pág. 554, y NIGRA, *Canti pop. del Piamonte* [1888], pág. 403, etc.

dio falta en la versión danesa *E*, de 1635, y en casi todas las modernas menos en *H*.)

(2.° Suprimidos los quehaceres de la doncella robada.).

3.° Vuelve de su viaje Segelffar, el hermano de la doncella robada; arma naves y va a recobrarla. (En *f*, construyó nueve navíos (68) y la buscó mucho; *E* supone que cabalgó durante ocho años buscando a su hermana; según *H*, pasó por siete países sin poder hallarla.)

(4.°, 5.°, 6.°, 8.° Suprimido el encuentro con la lavandera.)

9.° Segelffar llega a caballo a la puerta del castillo de la reina y ofrece a ésta oro para que salga la doncella a escanciarle el vino. La reina entra a despertar a la doncella para que escancie; Isemar sale ante su hermano ricamente vestida *ABCD*, con un vaso de oro en la mano *D*, o con dos vasos de plata *C* (69). = Las versiones posteriores alteran arbitrariamente el pasaje. En *G* la reina despierta a la doncella, que se vista "para escanciar a sus huéspedes"; la doncella se pone camisa de plata y ropas con flores de oro; lleva "dos vasos de oro en las manos" y corona en la cabeza. En *E*: "Levántate, hermosa, tendrás que escanciar el vino a mis huéspedes", la doncella se resiste, y luego

---

(68) En la versión de *Vilmer* (arriba, pág. 135, nota) también Nielus, para ir a buscar a su novia, hace construir siete navíos.

(69) Para estos dos vasos ("dos vasos de oro en las manos" también en *G*), recuérdese lo que digo a propósito de la versión de *Vilmer*, arriba, pág. 135, nota.

"con la cabeza y los pies desnudos llevó el vino a la mesa, muy triste"; dice después al caballero: "Nunca tocó cepillo a mis cabellos ni puse zapato en mi pie desde que fuí robada de la corte de mi padre", y entonces él le pregunta por sus parientes. En la versión *H:* "—Levántate, Aessemar, tendrás que escanciar esta noche para un caballero. —¿Cómo podré presentarme a un caballero, si hace siete años que no he visto el sol? —Con la cabeza y los pies desnudos tendrás que presentarte. —No me presentaré así al caballero; me pondré mis ropas mejores. Y puso camisa de seda..., y puso oro sobre oro..." Nótese que la mención de "los huéspedes" nos lleva hacia la *Südeli,* y los "siete años sin ver el sol" nos conduce hacia *Hafsfrun.*)

7.° La doncella habla de sus padres (ya muertos simultáneamente, según las versiones del siglo XVI, *A B C*, que usan la expresión "pusieron a mi padre bajo la negra tierra, y murió mi madre antes que cantase el gallo"; en las versiones posteriores la doncella no habla de sus padres, o si habla, como en *G,* no dice que hayan muerto), la doncella habla de su hermano; Segelffar e Isemar se reconocen.

10.° El hermano sube a Isemar en su caballo y huye hacia el navío (antes, según *ABCD,* Segelffar ofrece oro a la reina por la hermosa doncella). Al alejarse con su hermana, Segelffar se despide irónicamente de la reina; despliegan las velas; la reina se lamenta.

11.° Llegados a su tierra, hubo gran alegría en la corte; bodas de Segelffar con una hermosa dama, y de Isemar con un duque (70).

Esta canción tuvo una redacción anterior a las danesas que han llegado hasta nosotros, en la que, contándose la muerte del padre de la doncella, se dejaba viva a la madre, conforme al *Poema de Kudrun*, y en la que la acción de escanciar el vino por mano de la doncella se realizaba como en la canción de la *Südeli*. Esta redacción más vieja es la que en los mismos países escandinavos se refundió, sustituyendo la reina raptora por el hada del mar, especie de nereida llamada en la mitología nórdica Hafsfrun (71). He aquí el análisis de esta refundición, que parece nacida en Suecia *(S, a* y *b)* y de ahí propagada a Noruega *(N)* y a Dinamarca *(D)*. (La versión sueca más larga tiene 60 versos) (72).

---

(70) Estas dobles bodas de Segelffar y de su hermana sólo se hallan en *b*, pág. 442, de Olrik.

(71) Los pescadores pretenden haber visto al hada del mar, cuando brilla el sol entre la neblina de los lagos, sentada, peinando sus largos cabellos con peine de oro, o apacentando ganado en las islas. El hada tienta la sensualidad de los que encuentra y ella, se dice, acoge en su mansión a los que perecen ahogados.

(72) OLRIK, *Danmarks gamle Folkeviser*, núm. 380, conoce sólo un fragmento de tres estrofas (diálogo con el hada del mar), que por un rasgo lingüístico revela importación de Suecia. Olrik indica más versiones suecas y noruegas que yo desconozco = GEJER OK AFZELIUS, *Svenska Folk-Visor*, núm. 77, dos versiones. = K. LIESTÖL y M. MOE, *Norske Folkevisor*, 1922, núm. 52 (y comp. núm. 54. Hakje

(1.°, 2.° Suprimido todo exordio: el 1.° falta en muchas versiones de Isemar, y el 2.° falta en todas.)

3.° Villfar (73) habló con su madre: "—¿No tenía yo una hermana pequeña? —Una hermana tenías, tan graciosa y bella; el hada del mar la tiene cautiva." *(S)*; (falta este diálogo en la versión noruega). Villfar escogió su mejor caballo *(S)* y cabalgó por los campos para buscar a su hermana, atravesando siete países *(N)* (compárese Isemar *EH*, arriba, pág. 155.)

(4.°, 5.°, 6.°, 8.° Suprimido el encuentro con la lavandera lo mismo que en *Isemar*.)

9.° Villfar llega al castillo, en cuya puerta estaba sentada el hada del mar: "—Nunca he visto mujer más bella. —Más bella que yo es mi doncella Isemo (74); ella es más hermosa con sólo sus cabellos que yo con corona de oro." (comp. arriba, páginas 127-128). Villfar ofrece por ver a la doncella ricos dones, que el hada rechaza. El hada entra, sacude el lecho azul *(Sa)*: "—Levántate, Isemo, vístete de prisa, saldrás a ver a un caballero. —¿Y cómo podré salir a ver a un caballero, si hace quince años que no veo la luz del sol?" *(S, N)*. Le

---

rescata a su hermana, sacándola de la mansión del gnomo de la montaña; el rey, padre de Hakje, había dado su hija al gnomo en compensación por haberle matado en la caza una cierva).

(73) Adopto el nombre de la versión noruega. Las suecas llaman al hermano don Pedro o Hildebrand.

(74) Adopto ese nombre de la versión noruega, que ora la llama Isemo, ora Sylvklar.

puso camisa bordada por quince princesas, le puso falda guarnecida de oro *(Sb, N)*, le puso zapatos con hebilla dorada, el brillo del oro iluminó todo el suelo, y las ninfas del mar trenzaron su cabello, y el hada le puso corona en la cabeza *(Sa)*. Isemo salió, en su mano llevaba una copa; el caballero le dice: "No acepto de tu mano la copa hasta que me digas el nombre de tu padre" *(Sa)*. Las otras versiones no hablan de la copa y se limitan a la pregunta del caballero por los padres y hermanos.

7.° Isemo habla de su padre, de su madre y de su hermano (y hermana *Sb*); ambos se reconocen.

10.° Villfar monta en su caballo a su hermana, y quitándose el alto sombrero: "¡Adiós, hada del mar, te deseo mil buenas noches!" (comp. arriba, página 129). Y el hada del mar se quedó torciendo sus manos y golpeándose *(N, Sb)*. Según *Sa*, siguiendo la vieja versión de *Isemar ABCD*, el hermano ofrece cinco anillos de oro al hada para que le deje llevarse a la muchachita. "Guardad vuestros cinco anillos; mi jovencita puede acompañaros." Y el hada marina esperó dos años, esperó cinco, y la joven no volvió: "Si hubiera sospechado tu gran falsedad, nunca hubieras retornado a la floreciente tierra de Dios."

(11.° No se habla de la llegada de los hermanos, ni se menciona a la madre.)

Bien se ve que esta balada es la misma de *Isemar* transportada a un mundo hadesco y fantástico; por lo tanto, más alejada del mundo épico de *Kudrun*. Vamos a ver, además, cómo la balada de *Südeli*, que tan antigua se ha juzgado y que se la manos ocurre en una alcoba. La balada alemana copió hasta el diálogo final:

15 Und wie es morndrigs Tages ward,
Frau Wirthin für die Kammer trat:
—Stund auf, stund auf, du schlöde Hur,
füll deinen Gästen die Häflein zu!
16 —O nein, lass du schon Annelein in Ruh,
füll deine Häfelein selber zu! (76).

Y en verdad que el calco es demasiado fiel: ¡los dos hermanos que pasan la noche juntos en el lecho, en vez del marido y mujer de *La Porcheronne!* Mas a pesar de tan servil calco, la balada de la *Südeli* se aparta de la canción francesa en no suponer que la hostelera maltrate a la muchacha con los trabajos domésticos, permaneciendo en esto fiel a la segunda redacción de la vieja balada alemana, de donde procede.

Así contaminada, la *Südeli* se conoce hoy en unas veinte versiones (77) (de 78, 46, 30, etc., ver-

---

(76) Así en la versión suiza citada arriba, págs. 101-102; en otras la huéspeda no insulta a la muchacha, la llama sólo perezosa "stehe auf, du faule Haut"; otras veces "du junge Braut" (en M. Kübel, págs. 70 y 69); también en versiones francesas falta el insulto (por ejemplo, en la de Gard, *Mélusine*, VIII, 1896, pág. 70). En las versiones castellanas de la canción francesa también grita la suegra: "Levanta, putilla, de ese dulce sueño..."

(77) Enumeradas y publicadas las inéditas por M. Kübel, págs. 13, 16-18 y 65-72. Algunas no mencionadas por esta autora me han sido amablemente comunicadas por el profesor John Meier, director del riquísimo Deutsches Volksliedarchiv de Freiburg i. Br.

sos), difundidas por toda Alemania y por la Suiza alemana. Hela aquí reducida a la habitual desmembración:

1.° Transformado el cautiverio. La reina enemiga es sustituída por una hostelera que recibe la niña de manos de un mercader raptor, al cual ofrece cuidarla como una madre (78). (Este prólogo falta en la mayoría de las versiones, que comienzan con la salida del caballero, o de los caballeros, y su llegada a la hostería.)

(2.° No se cuenta que la hostelera haga trabajar a la muchacha. Sólo la hostelera dice al recién

---

(78) "Ich will ihm thun doch also wohl | gleich wie eine Mutter ein Kind thun soll", en la versión suiza de Uhland, arriba expuesta; falta en las demás versiones. El rapto por el mercader, hallándose la niña jugando con piedrecitas o con flores, se cuenta en la versión de Uhland (arriba, página 101); en la de *Erks Nachlass*, XV, pág. 465, recogida en Waltdorf bei Niesse, en 1843 ("Cuando yo era niña pequeña, estaba cogiendo piedrecillas; un mercader me escondió en un barril y me llevó a la hostelera"), en la de REIFFERSCHEID, *Westfälische Volkslieder*, pág. 109 ("El gran emperador del otro lado del Rin tenía una hija chiquita y fué llevada al otro lado del Rin en una pequeña cestita"), y en la de ERNST MEIER, *Schwäbische Volkslieder*, núm. 215 ("Una niña entre las flores; un mercader le ofrece ceñidores y cintas, hasta que se la lleva a país extranjero; la entrega a la hostelera para que la tenga siete años; y un caballero cabalgó, erró por todas las tierras, por montes y valles hasta encontrar a su querida hermana; y llegó a la hostería, y una hermosa muchacha le trajo de beber...").
La versión de Hessen, publicada en *Des Knaben Wunderhorn*, II, 280, aunque carece de exordio, en el diálogo del reconocimiento dice que la muchacha fué robada por gitanos.

llegado que aquélla es una pobre sirvienta de sus huéspedes. No la maltrata con trabajos duros, sólo la utiliza como criada.)

3.° Parte de su casa un caballero a caballo para buscar a su hermana (79), o va a buscar mujer (80), como vimos en *Don Bueso;* en la mayoría de las versiones no se dice a qué sale; en algunas salen tres caballeros.

(4.°, 5.°, 6.°, 8.° Suprimido el encuentro con la lavandera.)

9.° El caballero, o los tres caballeros, llegan ante la hostería; después sólo se habla de un caballero. Encuentra a la puerta de la hostería a la hostelera, y viendo en la sala de arriba a la sirvienta, pregunta a la huéspeda quién es aquella joven tan maravillosamente hermosa (81). La mayoría de las

---

(79) Esto sólo lo hallo en una de las versiones inéditas que me transmite el Sr. Meier, recogida hacia 1860 en Silesia, ingresada en el Archivo de Friburgo en 1929: "Es ritt ein Prinz vohl über den Rhein, hallo! | Er suchte fürwar sein Schwesterlein, hallo! | Und als er drei Stunden gereiset war, | Kam er an einem Wirtshaus an. Hallo, hallo, hallo!"

(80) Este rasgo se halla en la versión suiza de Uhland y en la publicada por O. VON GREYERZ, *Im Röse ligarte,* tomo IV, pág. 6: "Un señor salió con sus nobles para buscar a su prometida que le había sido concedida por esposa; llegaron a una hostería, la hostelera estaba en la ventana, etc."

(81) En la versión de Walschbronn, publicada en L. PINCK, *Verklingende Weisen,* tomo II, pág. 101, titulada "Braut Sondeli": "Es reitet ein Reiter wohl durch das Land. | Frau Wirtin war ihm unbekannt. || Frau Wirtin in der Türe stand, | Braut Sondeli liegt im oberen Saal. |

versiones, más apartadas de la original, dicen únicamente que el caballero halla a la hostelera a la puerta y le pide vino, y sólo después que ha salido la muchacha a servirlo en un vaso de oro o de plata (82), es cuando él se informa acerca de aquella joven.

7.° La muchacha, a ruegos del viajero, habla de sus padres, rey y reina, y nombra a su hermano (pero esta revelación está preparada de nueva manera: imitando a *La Porcheronne*, la hostelera ha entregado la sirvienta al huésped aquella noche; llanto de la joven; compadecido el huésped, dice a la llorosa que le cuente su vida; en algunas versiones (83), el viajero, como garantía de respeto, coloca su espada en el lecho); reconocimiento de los dos hermanos.

10.° El hermano se lleva en su caballo a la hermana. (Las palabras irónicas dirigidas a la reina en *Isemar* están sustituídas por las imitadas de *La Porcheronne*. Como esas palabras francesas terminaban "si vous n'étiez ma mère, vous ferois étrangler", y como en la *Südeli* efectivamente no se tra-

---

Willkommen, willkommen Frau Wirtin mein, Mit eueren schönen Töchterlein, | Oder ist's eures Sohnes Weib, | Dass sie so wunderschön kann sein?"

(82) Una versión de Brandenburgo, 1845, en vez de esta inexpresiva mención tradicional del rico vaso, fija su atención en "el dorado anillo de la muchacha que se transparenta a través del vaso y del fresco vino", en *Erks Nachlass*, I, pág. 420.

(83) En la de Uhland, en la de O. von Greyerz y en la de Reifferscheid, ya citadas.

ta de una madre, sino de mujer extraña, hubo tendencia a estrangularla, aunque su maldad no era tan grande como la de la suegra francesa; en diferentes versiones el hermano castiga a la codiciosa hostelera, hiriéndola o degollándola.)

11.° Llegada de los hermanos a la corte. La madre cree recibir a una nuera, como en *Don Bueso*. Alegría al ver a su hija; fiesta.

Esta canción alemana fué imitada por muchos pueblos vecinos, desde luego en Holanda *(Ha* y *(Hb)* (84) y en varios países eslavos, como Eslovaquia, Pequeña Rusia, etc., de los que citaré sólo una versión venda *(V)* (85) y otra bohemia *(B)* (86). No pretendo dar idea cabal de ellas (87), sino entresacar los rasgos que me parecen más útiles al estudio comparativo.

1.° La niña, jugando en la arena con rojas manzanas, es atraída por hombres extranjeros que la venden a una hostelera *(V)*. (Falta por lo común este exordio.)

(2.° Suprimida la mención de trabajos de la sirvienta.)

3.° Un caballero *(V)* (que en el número 7.° se

---

(84) Fl. van Duyse, *Het oude Nederlandsche Lied*, La Haya, 1903, I, 97-98, y Hoffmann von Fallersleben, *Niederländische Volkslieder*, núm. 73, Hannover, 1856, página 166.

(85) Haupt y Schmaler, *Volkslieder der Venden*, I, núm. 5, y II, núm. 22.

(86) En *Deutsches Museum*, II, 1854, pág. 289.

(87) Son numerosas; véase la bibliografía en *Zeitschrift für Volkskunde*, XXVIII, pág. 72.

dice ha buscado a su hermana durante siete años, reventando muchos caballos en correr de un país a otro, *V, B*), o bien el emperador de Suecia *(Ha)*, o bien tres señores *(B)*, o tres lansquenetes *(Hb)*, llegan a la hostería o a la venta.

(4.°, 5.°, 6.°, 8.° Suprimido el encuentro con la lavandera.)

9.° El caballero, o uno de los tres, piden vino a la hostelera; se lo sirve la joven; él pregunta al ama si aquella es su hija: no es sino su criada; él la pide para aquella noche *(Ha, B, V)* (en *Hb* el lansquenete más joven requiebra a la muchacha directamente).

7.° La joven, al verse entregada al viajero, llora *(V,* llora a cada peldaño que sube para la alcoba. *Ha;* pide que su honor sea respetado, *B)*; él pregunta: ella es hermana del emperador de Suecia *(Ha)*, o hija del señor de Babor en España *(B)*, etcétera. (En *Hb* es la joven quien pregunta al lansquenete que la requiebra, y él dice ser hijo del duque de Traveerne); reconocimiento.

10.° (La hostelera viene a despertar a su criada, ésta se niega a la llamada, *V.* El hermano corta la cabeza a la huéspeda *B*, o la perdona a instancias de la hermana, *V.*) Se van en el caballo *(V, B)*. = (*Ha* acaba con el reconocimiento. *Hb* acaba lamentándose la joven de haber descubierto en el lansquenete a su hermano, pues se había enamorado de sus ojos negros.)

11.° La madre recibe a sus dos hijos *(V)*.

Esta forma moderna de la *Südeli* es probable que no fuese la única, en el caso que se confirmase la hipótesis por mí preferida de la antigua balada alemana con dos encuentros de los hermanos. Habría habido otra redacción de la *Südeli* más conforme, tanto a *Kudrun* como a *La Porcheronne*. En la canción francesa hay también dos momentos: el marido halla a la porquera en el campo, y luego va al castillo, donde ocurre el reconocimiento en la alcoba. Además, en la canción francesa, la recomendación del marido a su madre acerca de la joven: "ne lui faites rien faire, ni *laver* ni pâter", sería favorable a que la *Südeli* conservase en un principio el tema épico del lavado, que luego perdería, porque ya sabemos que en este grupo de canciones el lavado no tiene realce ni interés.

8.° Resumen comparativo

Las canciones examinadas contienen la acción épica, unas veces completa, otras veces fragmentaria, con el exordio omitido.

Entre las de acción completa, *Isemar* y *Südeli* conservan seis de los once puntos en que dividí la narración del *Poema de Kudrun*, mientras *Bueso* conserva diez. *Isemar*, que llegó a nosotros en redacciones más antiguas que todas las demás baladas, pues la conocemos del siglo XVI, se distingue por conservar mejor que ninguna otra los puntos 1.° (en que menciona al hijo de los reyes raptores), 3.° (en que habla de las naves armadas para el rescate) y 10.° (con la huída hacia las naves y la irónica despedida a la reina); esta excelencia se pierde en las versiones modernas de *Isemar*, y no hay el menor rastro de esa fidelidad en las versiones de la *Südeli*, que es la balada más alejada del prototipo.

Si tuviésemos de *Bueso* alguna redacción antigua en estilo tan narrativo como el de las antiguas de *Isemar*, probablemente no cedería a ésta en esos tres puntos. Aun en su estado moderno la supera en otro punto común, 11.° (en que la madre desconoce a su hija desfigurada por el cautiverio), y sobresale entre todas en otros tres puntos que faltan totalmente en *Isemar:* el 2.° (la reina malévola que maltrata a la cautiva; este punto no se halla en ninguna otra balada), el 4.° y el 8.° (lavado de la ropa; la ropa de la reina arrojada al agua). Y no es sólo que *Bueso* conserve cuatro puntos más que *Isemar* y *Südeli*, sino que además refleja mucho mejor el tono general del antiguo poema épico. Es verdad que *Isemar* se mueve en un mundo guerrero y cortesano superior aun al de *Bueso*, pero la doncella no tiene fisonomía especial; la *Südeli*, a pesar de basarse en el supuesto épico de la princesa robada, y a pesar de algún añadido caballeresco, como la espada interpuesta en el lecho, desenvuelve su dramática aventura en un ambiente casero y burgués que huele a cocina y a fritanga hasta en la fiesta final de la corte. Por el contrario, *Don Bueso*, como español del buen tiempo, ostenta con arrogancia los títulos de hidalguía y primogenitura respecto a las baladas afines; pone empeño en mantenerse siempre dentro de la esfera de la poesía heroica en que nació;

su acción se anima de un espíritu nacional, el de la guerra entre dos pueblos antagonistas por religión; realza sobre todo la dignidad de la cautiva que, al modo de Kudrun, hace respetar su honor en la esclavitud, no arriesgándose a dejarse rescatar por un desconocido, actitud a que don Bueso corresponde con noble caballerosidad en cuanto sabe que ella es cristiana.

De las baladas fragmentarias la más notable es *Meererin*, que conserva seis de los once momentos de la acción, y guarda excepcionalmente fiel el 5.°, con la llegada de los dos desconocidos en la barca ante la joven lavandera, si bien en las variantes a veces se sustituye la barca por los cabalgadores, sustitución consumada en *Svend* y en *Bueso*. *Meererin* es la más conservadora de las baladas breves; aunque olvidó el conjunto de la acción épica de donde procede, para sumirse en el fragmentarismo y en la vaguedad propios de las canciones más desgastadas en el rodar de la tradición, queda siempre como estupenda reliquia: es el fragmento mejor que hoy poseemos de la primitiva balada de *Kudrun*, salvado en el apartado islote lingüístico de Gottschee del naufragio general de las versiones alemanas más antiguas.

Svend conserva cinco de los once momentos de la acción y se distingue en el 5.° por recordar bien los dos caballeros que llegan ante la lavandera. *Hafsfrun* sólo conserva cuatro puntos y *Kate* y *Mâre* sólo tres, sin ninguna notable fidelidad en ellos.

En España, Dinamarca y Gottschee se conservan las formas mejores de la balada, mientras en

Alemania, patria de todas, la canción degeneró en extremo. Este fenómeno de la mayor fidelidad de una tradición emigrada respecto de una tradición indígena se repite mucho (el país irradiador suele ser más innovador), y lo vemos igualmente en el caso particular del *Don Bueso*, pues sus variantes balcánicas y marroquíes representan mucho mejor que las castellanas la forma más antigua del romance.

Bueso y *Meererin* representan una tradición más vieja, que ocupó en otro tiempo un área muy extensa, la cual modernamente se nos aparece rota y discontinua, conservando sólo dos extremos, España y Gottschee, alejados de Alemania, origen de irradiación de esa área. En Francia y Piamonte se descubren restos de una canción de *Kudrun*, contaminando otras canciones diversas.

Svend (?), *Isemar, Hafsfrun* y *Südeli* derivan de una irradiación posterior, que mantiene hoy su área de difusión compacta, agrupada en continuidad geográfica alrededor de Alemania: Holanda, Dinamarca, Suecia, Noruega, Islandia y países eslavos enclavados en el territorio alemán o próximos a él (vendos, bohemios, eslovacos, etc.).

La comparación de estas baladas se ha hecho de un modo incompleto.

Grundtvig descubrió la relación que existe entre *Isemar* y *Südeli*, pero no pensó en *Kudrun*, y guiado por el principio romántico de que el estilo breve épico-lírico es anterior al circunstanciado, creyó que la canción alemana era la más vieja, y por lo tanto la *vise* danesa representaba para él "una refinación", en tono caballeresco, del ambiente grosero y de bodegón en que se desenvuelve la acción de la *Südeli* (88). Pero nosotros, trayendo a comparación el *Poema de Kudrun*, no podemos dudar que de él proviene el refinamiento caballeresco de *Isemar*; y trayendo a comparación *La Porcheronne*, bien vemos que la grosería de la *Südeli* no es original, sino advenediza.

Por su parte, M. Kübel, que conoce la relación existente entre la *Südeli* y *Kudrun*, no tiene en cuenta a *Isemar*, y así puede sostener que el hada marina en *Hafsfrun* es otro refinamiento, en sustitución de la hostelera de la *Südeli* (89). Pero creo haber puesto bien en claro que el hada marina nada tiene que ver con la ventera que prostituye a la Südeli, sino con la reina en cuyo castillo vive Isemar.

En conclusión, la *Südeli* está muy lejos de ser la forma explicativa de otras baladas más caballerescas y más circunstanciadas, porque ella es contaminada y tardía. Los románticos pensaban que la poesía tradicional nacía tal como la tradición nos la muestra, esto es, en forma breve y plenamente épico-lírica, y que después pasaba del pueblo a los juglares y poetas de corte, los cuales la revestían de formas amplias y circunstanciadas; así pensaron no sólo los críticos cercanos al período romántico, como F. Wolf, sino otros bastante

(88) *Danm. g. Folkev*, 1898, 1, pág. 429.
(89) *Das Fortleben des Kudrunepos*, 1929, pág. 18.

posteriores, como G. Paris (90), y así piensan aun hoy muchos. Yo creo que el estudio de las supervivencias de *Kudrun* no da apoyo ninguno a esta manera de ver, sino a la contraria: las formas más épicas (poemas y cantos en estilo narrativo) preceden a las formas más épico-líricas; el estilo popular, o mejor dicho, *tradicional*, no es por lo común un estilo primario, sino que adquiere sus caracteres propios tan sólo mediante el rodar de la tradición.

---

(90) *Rev. Filol. Esp.*, III, pág. 259.

LA «CHANSON DES SAISNES» EN ESPAÑA

Estudio publicado en los *Mélanges Mario Roques* 1951, páginas 229-244

LA «CHANSON DES SAISNES» EN ESPAÑA

Las *chansons de geste* viejas, en verso asonantado, sobre la guerra de Carlomagno contra Guiteclin, rey de Sajonia, quedaron oscurecidas y olvidadas cuando en el último cuarto del siglo XII Jean Bodel, de Arrás, escribió su *Chanson des Saisnes* en alejandrinos consonantados. Bodel, al comienzo de su obra, desprecia a sus predecesores: "Esos viles juglarones que con su enorme vihuela y sus vestidos harapientos van por los pueblos cantando de Guiteclin lo poco que han aprendido, nada saben de los ricos versos nuevos muy bien rimados que hizo Jean Bodel." El protagonista de este poema, Baudoins, Baldovinos, fué entre los romancistas de España muy conocido; pero ¿lo fué por el éxito de la obra de Bodel, o lo fué a través de otras obras diferentes?

Poco o nada dicen de esto los que han tratado de los romances. Gastón Paris parece inclinarse a creer que el Baldovinos, esposo de Sevilla, nombrado en un romance viejo (el de *Nuño Vero*), procede de un poema de Guiteclin, hoy perdido (1).

---

(1) *Hist. poét. de Charlemagne*, 1865, pág. 211.

Milá considera dos romances viejos de Baldovinos como "restos más o menos alterados de la antigua tradición de la *Chanson des Saisnes,* en los cuales no halla más elemento tradicional que el nombre propio de Baldovinos y el de Sevilla; como en otros romances más tardíos se dice que esa Sevilla era hija del rey de *Sansueña,* deduce que este nombre revela "influencia directa de los cantares franceses" (2). León Gautier se contenta con citar a Milá y copiar la traducción del romance de *Nuño Vero,* sin darnos acerca de él ilustración ninguna (3). Menéndez Pelayo hace el examen de los dos romances, concluyendo que "del antiguo tema épico sólo persiste la confusa idea de que Baldovinos se había casado con una pagana, que para nuestro vulgo no podía ser sajona, sino mora" (4). Últimamente, W. J. Entwistle sugiere la duda de si los romances de *Baldovinos* remontan al poema épico francés o a fuente posterior, un libro popular en prosa (5).

Advirtamos previamente que el hacer de Sevilla una mora y no una sajona no es deformación debida al vulgo español; también para el vulgo francés, así como para los viejos poetas franceses, los sajones eran sarracenos que juraban "par Mahom!" Tenemos así un punto más de contacto entre los romances de *Baldovinos* y la tradición fran-

---

(2) *De la poesía heroico-popular,* 1874, págs. 340, 343 y 349.

(3) *Les Epopées françaises,* III, 1880, pág. 656.

(4) *Antología de poetas líricos,* XII, 1906, pág. 392.

(5) *European Ballardy,* 1939, págs. 103 y 176.

cesa, y habremos de ver muchos otros puntos de relación trayendo a luz más elementos de estudio de que hasta ahora estaba privada la crítica. Veremos que de uno de los dos romances hay versiones desconocidas que contribuyen mucho a ilustrarlo. Consideraremos además no sólo los dos romances tradicionales por todos tratados, sino cuatro, todos concurrentes a demostrar que no remontan a una tradición vaga de una Sevilla mora y un Baldovinos indeterminado, sino que responden concretamente a los personajes y episodios del poema de Jean Bodel, cuyo éxito en España nos comprueban y son de ese éxito un último eco, que aun hoy resuena en algunos rincones más tradicionalistas de la Península.

La enorme mole narrativa construída por Jean Bodel (más de 7.500 versos alejandrinos repartidos en 297 series consonantadas) es ciertamente lectura pesada para nuestros tiempos; se quiere hacer a la ligera. Por eso se comprende que León Gautier, aunque hace un análisis muy extenso del poema, en 26 páginas (!), no se dió cuenta de ninguna semejanza especial del texto francés con los romances. Por eso necesitamos hacer un nuevo análisis de la *Chanson des Saisnes*, para destacar en ella los pasajes que inspiraron los romances, dentro del movimiento general del poema (6).

1) Guiteclin de Sessoigne, rey de los sajones,

---

(6) *La chanson des Saxons*, par JEAN BODEL, publ. pour la première fois par Francisque Michel. París, 1839, dos volúmenes.

gente sarracena de la secta de Mahoma, se casa con la hermosa Sebile (5 a). Al saber la muerte de Roland y Olivier en España, Guiteclin emprende guerra contra Francia, destruyendo a Colonia (6 a-12 a). Carlomagno halla entre sus barones gran resistencia para comenzar una nueva guerra, sobre todo hallándose celosos de los de Hérupe (región de Normandía, Bretaña, Anjou), que se hallan exentos de todo tributo y que se niegan a pagarlo (13 a-48 a).

2) Carlos va a comenzar la guerra a orillas del Rin; con él va su sobrino Baudoin, hermano de Roland (49 a-50 a). El viejo duque Tierri entrega su hijo Berart a Carlos (51 a-53 a). Baudoin y Berart son los dos héroes del poema, rivales en sus hazañas. Los dos ejércitos acampan separados por el Rin, bajo los muros de la ciudad sajona de Tremoigne (Dortmund, en Westfalia) (55 a-59 a). La reina Sebile curiosea el campo enemigo, pidiendo a su cautiva Helissent de Colonia, prometida del joven Berart, informes acerca de los caballeros franceses (62 a), y luego obtiene de Guiteclin que la instale en un pabellón a orillas del río, porque ella y sus damas podrán hacer que los franceses cometan muchas locuras (64 a-65 a). Sebile ve cabalgar a Baudoin y se enamora de él; hace a Helissent gritar repetidas veces al caballero francés que pase el río, pues la reina le desea ver (67 a-69 a).

3) Baudoin, sobre su caballo, se lanza a la profunda corriente del Rin, y a la otra orilla, empapado de agua, le reciben los brazos de la reina

sarracena (70 a-71 a). Se despoja de las armas, pero en seguida corre peligro de ser sorprendido; vuelve a armarse, y a su regreso tiene que sostener varios combates con los sajones que le persiguen. Carlomagno, al oírle que fué llamado por la reina, le prohibe pasar otra vez el Rin: "no es buen vasallaje hacer tales temeridades; antes de un año te haré rey de los sajones y te casaré con Sebile" (75 a).

4) Las duquesas, marquesas y demás damas de los caballeros, las cuales Carlomagno hizo quedar en Saint-Herbert, cerca de Colonia, habían convertido la ciudad en un burdel, entregadas a los garzones y sirvientes de la hueste. Carlos tiene que ir allá y sitiar y conquistar la ciudad rebelde (77 a-79 a); hace que los maridos perdonen sin más a sus mujeres; el rigor cae únicamente sobre los felones, que son ajusticiados ahogándolos en el Rin (80 a). Carlos se vuelve a su campamento, donde construye casas y capillas, y allí permaneció dos años (81 a). Arma caballero a Berart, y el caballero novel, al probar su caballo, lo mete en la corriente del Rin, hacia el pabellón de Sebile. Muchos franceses acuden a socorrerle (82 a-85 a). Carlos envía mensaje a los barones herupeses que le vengan a ayudar (86 a). Ellos acuden al llamamiento (90 a).

5) Sebile envía un aviso a Carlomagno, que los sajones preparan una sorpresa, pasando el Rin a medianoche (91 a). Los franceses vigilan los vados y esperan prevenidos. El joven Berart gana en la batalla diez caballos (101 a); el emperador

alaba la hazaña, con mucho enojo de Baudoin, quien, para emularla, pasa otra vez el río ante el pabellón de Sebile (102-103 a) y vuelve vencedor, habiendo matado a un sobrino de Guiteclin (104 a-105 a).

6) Sebile ve cercano el día en que Carlos conquistará Sajonia; ella se bautizará renegando de Mahoma (106 a), propósito que siempre mantiene en lo sucesivo por amor de Baudoin; éste, cuando moribundo piensa en ella, dice "por moie amor feistes votre cors baptisier" (257 a).

7) Berart pasa otra vez el Rin para ver a su prometida Helissent de Colonia en el pabellón de Sebile (102 a). Sebile regala a Berart un maravilloso esparver, a condición de que reprenda a Baudoin el que se retraiga de ir a verla (122 a). Berart vuelve victorioso (124 a); da a Baudoin las quejas de Sebile; altercado de los dos jóvenes; Carlos los pacifica (125 a).

8) Baudoin, incitado por el amor, el ardimiento y la ira, se levanta al amanecer, y sin escudo ni loriga, como de caza (126 a, comp. 130 a), pasa el Rin, precisamente cuando el rey sarraceno hace vigilar más el pabellón de la reina (126 a-127 a). Encuentra a Caanin, sajón pariente del rey; le mata, y, vistiéndose sus armas, puede llegar, desconocido, hasta Sebile, asegurándola que persevera siempre en servicio de ella. El rey Guiteclín con treinta caballeros viene a sorprenderle, pero él escapa a la persecución y se entra en el Rin, rogando al Señor le deje atravesar el río con victoria (129). Muchos sajones se ahogan al perseguir-

le y otros le lanzan dardos. Carlos echa de menos a Baudoin, y al saber que salió sin armas, como de caza, le lamenta por muerto; muchos le van a buscar, Berart el primero de todos. Berart ve a Baudoin salir del río, pero como viste las armas de Caanin, le cree sajón y lucha con él hasta que se reconocen. Carlos reprende a su sobrino por la gran hazaña temeraria (130 a).

9) Carlomagno, sin embargo, pues su sobrino quiere ganar renombre, le manda que pase otra vez el Rin, ahora que Guiteclin lo hace vigilar más; espera que saldrá bien de la prueba (132 a). Baudoin pasa el río. Un espía, que oyó el mandato de Carlos, lo va a contar a Guiteclin: Carlos mandó a Baudoin que fuese a dar un beso a la reina y obtener de ella el anillo de su dedo (134 a-136 a). Guiteclin, lleno de celos y de ira; Justamont, señor de Persia, se encarga de combatir con Baudoin (137 a) y va a ver a Sebile para anunciarle que piensa escarmentar los atrevimientos de un pobre soldado, el muchacho Baudoin, en pago de lo cual pide un beso de amor a la reina. Ella responde que le dará el beso cuando esté él de vuelta, pero le ruega que si se trata, como dice, de un pobre muchacho, no le mate, sino que lo entregue a Guiteclin para que lo juzgue según la ley de los sarracenos (139 a). Justamont parte (141 a); grita a Baudoin que ha prometido a Sebile entregarle al rey y por ello recibirá de la reina un beso de amor. Combaten. Baudoin mata a Justamont (141 a), viste las armas del muerto (142 a) y como sabe un poco la lengua tudesca, pasa entre los sa-

jones diciéndoles que ha combatido con Baudoin, pero éste le ha ahuyentado, alabándose de que besará a la reina la cual le dará el anillo para Carlomagno, "id a detenerle, que yo no he de ayudaros" (143 a). Mientras todos corren a perseguir al atrevido, él llega al pabellón de la reina. Sebile estaba a la puerta y le pregunta: "Justamont, ¿ya estáis de vuelta? Decidnos nuevas. ¿Encontrasteis a Baudoin? Bien se ve en las roturas de vuestro escudo que le habéis encontrado, ¿le traéis vivo o muerto para que os dé el beso prometido?" Él hace protestas de amor como si fuese Justamont y la reina teme por Baudoin, pensando si estará malherido (144 a) (7) .

10) Baudoin, al ver la emoción de Sebile, echa pie a tierra y, quitándose el yelmo, se da a conocer; se abrazan y entran en el pabellón, cien veces besándose antes de hablarse palabra. "Mucho te debo amar, dice ella al fin, pues por mí pasas tantos trabajos." Pero cuando Baudoin le dice que Carlomagno le destierra de su corte si no le lleva el anillo que ella usa en su dedo, ella se lo niega secamente (144 a). Baudoin cae en gran tristeza; suspira de corazón y llora: "¡Qué mudable es la mujer! Esta sarracena, que yo creía me amaba de fino amor, ahora por un mal anillo me abandona y me pierde" (145 a). "Todo el mundo me es

---

(7) Situación repetida en el poema: Baudoin, cuando mata a Caanin y viste sus armas, va a ver a Sebile, la cual creyéndole sajón, le saluda según la ley de Mahoma; él se descubre quitándose el yelmo (127 a).

enemigo; Carlomagno y Sebile están contra mí; en Francia no puedo estar, y si Dios no me socorre, me matarán los sarracenos" (146 a). Sebile se echa a reír y le abraza: "¡Quería probarte! Éstos son los juegos del amor. ¿Crees, Baudoin, que soy de otro sino de ti?" Baudoin toma el anillo de su amiga (147 a-148 a).

11) Un espía sajón los ve y avisa a Guiteclin, el cual tenía consigo quinientos sajones escogidos (148 a), Baudoin toma su yelmo y su escudo y escapa, viendo por todas partes montar a caballo los sajones en persecución suya. "¡Carlos, qué ganares en que yo muera entre paganos! Por tu culpa murieron Roland y Olivier" (149 a). Quinientos sajones cubren los campos; por todas partes muchos caballos, muchos escudos, muchas lanzas; Guiteclin, lleno de celos; pero como Baudoin lleva las armas de Justamont, todos dudan hasta que descubren el cadáver de Justamont (150 a-151 a). Guiteclin grita al fugitivo: "¡No te llevarás así el anillo de tu amiga; con él me dejarás tu vida!" (152-153 a). Baudoin entra en el río invocando a Jesús que le libre de muerte y acariciando el testuz de su caballo para que nade con brío. Guiteclin, colérico, y sus sajones quedan en la orilla sin poder hacer otra cosa que desahogar en amenazas (154 a). Baudoin llega a la orilla francesa y entrega a Carlos el anillo de Sebile.

12) Después de dos años de guerra sin batalla campal, Carlomagno quiere construir un puente para pasar su ejército a la otra orilla; un ciervo fugitivo le muestra un vado, sobre el cual los ale-

manes y los bávaros son encargados de construir el puente (158-171 a). Pasa el ejército francés y vence en una gran batalla (172 a-195 a). Carlos combate con Guiteclin y le mata. Persecución de los fugitivos (196 a-200 a). Carlos entra en Tremoigne, donde Sebile, llevada ante el emperador, acepta el matrimonio con Baudoin y el bautismo; llora a Guiteclin y obtiene para él un monumento funerario (201 a-208 a). Casamiento de Berart y Helissent de Colonia (209 a). Bautismo y boda de Sebile. Baudoin, coronado rey (210 a).

13) Comienza la parte final de la *chanson* (214 a). Carlos se despide de su sobrino Baudoin, dejándole en Tremoigne provisto de muy buenos consejos (214 a-218 a). Los hijos de Guiteclin atacan a Tremoigne con cien mil paganos contra quince mil franceses (219 a-222 a). Baudoin avisa a Carlos; combate; no quiere retirarse de la batalla porque Sebile le tendría por cobarde, pero al fin tiene que encerrarse en Tremoigne, donde es sitiado (230 a-235 a). Carlos acude a socorrer a su sobrino, y éste sale de Tremoigne a recibirle (237 a-242 a). Batalla. Berart muere después de comulgar de la tierra tres briznas de hierba (247 a-249 a). Baudoin le venga, pero él mismo cae también herido de muerte (256 a).

14) La última oración de Baudoin es por Carlomagno, por la propia alma, por su mujer: "¡Ah reina Sebile, por mi amor te hiciste bautizar!; ¡qué poco tiempo hemos tenido para nuestro deleite!" Las fuerzas le fallecen y la espada le cae de las manos (257 a). Carlos vence al fin a los sajones

Llora a su sobrino (259 a-260 a). Lamento de Sebile ante el cadáver de Baudoin (265 a). Carlos la hace venir ante él (275 a). Ella quisiera morir como murió Alda por Roland (278 a). Entra monja en un monasterio que Carlos funda en el campo de la victoria final contra los sajones, y allí orará por Baudoin (269 a).

Veamos ahora los diversos romances, qué es lo que conservan del espíritu y la letra de esta *chanson.*

Suspiro de Baldovinos. El famoso romance del *Suspiro de Baldovinos* fué tan sólo estudiado en su texto del *Cancionero de Amberes,* sin año.

Tan claro haze la luna como el sol a mediodía
cuando sale Valdovinos de los caños de Sevilla;
por encuentro se la uvo una morica garrida,
y siete años la tuviera Valdovinos por amiga.
Cumpliendo sus siete años, Valdovinos que sospira.
—¡Sospirastes, Valdovinos, amigo que yo más quería!...

Estos "caños de Sevilla" eran más comúnmente llamados "los caños de Carmona", un acueducto de 410 arcos que tocan en el este de Sevilla por la puerta de Carmona. La crítica no ha visto en el romance otro elemento tradicional más que el nombre de Sevilla, pero transportado de nombre de mujer a nombre de ciudad (8). Mas, por fortuna, de este

---

(8) MILÁ, *De la poesía*, pág. 343; MENÉNDEZ PELAYO, *Antología,* XII, pág. 392. Milá, viendo que la versión que da el libro de música de Luis Milán empieza con las palabras de la mora "¡Sospirastes, Valdovinos!", cree que todo

romance hemos hallado diferentes versiones, recogidas en el siglo XVI, que nos ponen en camino de conocer el elemento narrativo desarrollado en las redacciones más antiguas del fragmento. Un lector del *Cancionero de Amberes*, extrañando el comienzo que acabamos de copiar, lo rectificó, escribiéndolo según él lo sabía (9):

Por los caños de Carmona, por do va el agua a Sevilla,
por aí va Baldovinos a ver a su linda amiga.
Los pies lleva por el agua y la mano en la loriga,
temiéndose de los moros no le tuviesen espía.
Sáleselo a recebir la linda infanta Sevilla,
júntanse boca con boca, nadie no los impidía.
Sospiros da Baldovinos que en el cielo los ponía;
allí hablara su esposa, bien oiréis lo que diría:
—¡Sospirastes, etc.

y con ese *etc.* el curioso escritor quiere decir que se continúe el romance según el texto consabido, el del *Cancionero de Amberes*, donde la causa que Valdovinos da para sus suspiros es por mala vida que lleva viviendo con su amiga mora: "y como la carne en viernes, que mi ley lo defendía"; la mora, por amores de Valdovinos, ofrece tornarse cristiana.

Otras dos versiones del romance, que en seguida citaré, muy olvidadas, aunque impresas, coinciden con la manuscrita, salvo en carecer del verso dedi-

---

lo anterior (los cinco versos arriba copiados) es un añadido imitando el primer verso del romance del Conde Aleman, *Primavera*, núm. 170.°

(9) Se halla esta versión en el manuscrito 1317 (ant. F-18), fol. 442 a de la Bibl. Nac., letra del siglo XVI.

cado a la infanta Sevilla; pero a pesar de esa grave falta, unidas las tres, con sus notables variantes, nos dan ya el romance perfectamente ligado con la *Chanson des Saisnes* de Bodel, donde Baudoin atraviesa varias veces el río para ver a Sebile, ya contra la voluntad de Carlomagno, ya por orden del mismo, siempre entre el peligro de los espías y de la persecución de los sajones sarracenos, según nuestro análisis, números 3, 5, 8, 9.

El escritor de la versión manuscrita omite con un *etc.* toda la segunda parte del romance por no interesarle el rectificarla, pero seguramente no era idéntica a la del *Cancionero de Amberes*. Esas otras dos versiones aludidas, análogas, aunque inferiores a la manuscrita, nos ofrecen una variante de consideración. Tales versiones se hallan en un pliego suelto de El Escorial (10) y en los "*Nueve romances*, por Juan de Ribera", publicados en 1605 (11); su variante añade a la mala vida de comer carne los viernes esta otra causa:

> Siete años avía, siete que yo missa no la oía;
> si el emperador lo sabe, la vida me costaría,

donde la mención del emperador une más firmemente el romance al ciclo carolingio.

Pues bien: en el poema francés, todas las entrevistas de Baudoin y Sebile respiran la alegría de

---

(10) Síguense siete romances, sacados de las historias.— Bibl. Escurial. 53-I-37.

(11) GALLARDO, *Ensayo de una Bibl.*, IV, col. 96 (reimpreso por Menéndez Pelayo, *Antología*, IX, 247).

un amor desbordante; sólo una es patética y triste: cuando la reina niega su anillo (núm. 10 del análisis). Baudoin se siente irritado y abatido ("plains d'ire et abosmez" 146 a): está bajo la amenaza de que el emperador le desterrará de Francia, y ve que el amor de aquella sarracena no vale nada (114 a-146 a), por eso suspira y llora:

> **Lors sospire dou cuer, la chiere tint ancline,**
> **l'eve des oilz li cort contreval la poitrine (145 a).**

Aquí tenemos el suspiro romancesco. En la versión manuscrita: "Sospiros da Baldovinos que en el cielo los ponía"; en la versión escurialense y de Juan de Ribera: "Valdovinos con angustia un sospiro dado avía". La causa del suspiro en el romance ha cambiado mucho, pero todavía se mantiene relacionada con la mora y con el emperador a la vez.

El poema de Bodel en la escena del suspiro no tiene alusión ninguna a sentimientos religiosos. Sin embargo, el deseo que expresa Sevilla romancesca de hacerse cristiana por amor de Valdovinos está varias veces manifestado en la *chanson* francesa (núm. 6 del análisis), y es muy natural que sobre este punto insistiese con particular interés todo arreglo español del relato de Bodel, por lo mismo que en España el problema de las relaciones entre moros y cristianos se planteaba con agudeza cotidiana dentro del pensamiento eclesiástico dominante.

Nuño Vero. Romance muy arcaico; cambia de asonante: -ao, -aa, -ao.

Sólo se conserva en un pliego suelto recogido en el *Cancionero de Amberes*, edición sin año (1548), a cuya versión añadió dos versos la reimpresión de Amberes, 1550.

Por desgracia, no he podido hallar otras versiones diferentes; pero aun en su versión única resulta indudable su correspondencia con un episodio del poema francés. En el romance, Sevilla pregunta por nuevas a Nuño Vero; éste la requiere de amores, tratando de engañarla con la falsa noticia de la muerte de Baldovinos. Esto es evidente trasunto del episodio de Justamont que solicita el amor de Sebile (análisis, núm. 9). El romance comienza:

Nuño Vero, Nuño Vero, buen caballero provado,
hinquedes la lanza en tierra y arrendedes el cavallo,
preguntaros he por nuevas de Baldovinos el franco.

En lugar de "Nuño Vero, buen caballero probado", a quien pregunta nuevas Sevilla, pongamos "Justamont, le guerrier" (139 a), a quien pregunta nuevas Sebile en el poema francés. Justamont ha ido a combatir con Baudoin; éste le ha matado, y disfrazado con sus armas, llega a caballo ante el pabellón de Sebile, la cual, creyéndole Justamont, le pide nuevas de Baudoin,

et dit: Justamont sire, estes-vos repaïriez?
Contez-nos voz noveles, s'en orrons volentiers;
trovastes Baudoin? onques no me noiez,

y el fingido Justamont insiste en solicitar el amor de la reina, dando a Sebile mucho que temer por Baudoin (144 a).

Es de notar que Nuño Vero (es decir, Baldovinos encubierto), al contar mentirosamente la herida mortal que Baldovinos recibió, dice según el verso añadido en el Cancionero de 1550:

su tío el emperador a penitencia le dava,

verso muy oscuro, pero alusivo acaso a una penitencia expiratoria, que daría nuevo sentido a la arriesgadísima hazaña que, según Jean Bodel, exige Carlomagno a su sobrino, poniéndole en extremo peligro de muerte, rigor repetidas veces maldecido por Baudoin lleno de enojo (132 a, 133 a, 146 a, 149 a).

En el romance, Sevilla desmiente a Nuño Vero (al fingido Nuño Vero): Baldovinos durmió con ella la noche antes y le dió una sortija; confusión con la sortija que, al contrario de lo que dice el romance, Sebile ha de dar a Baudoin (análisis, número 10).

El nombre de Nuño Vero parece ser transformación oral de algún extraño nombre moruno que la primitiva forma romance usaría en vez del de Justamont. *Muñoveros* (con esa *s* de nominativo antiguo francés tan corriente en los romances carolingios) es el nombre de un pueblo de la provincia de Segovia, y cabe preguntar: ¿influyó la toponimia en el romance, o el romance en la toponimia?

Baldovinos sorprendido en la caza. Romance desconocido en las colecciones del siglo XVI, y ausente de todas las modernas. Sólo poseo de él una versión oral recogida en 1915 en Puente de Alba, La Robla (León), por la señorita Josefina Sela (hoy señora de Martín Granizo). Al lado de esta versión hay que colocar otras de Asturias y Galicia en que el nombre de Baldovinos aparece sustituído por el de "Conde Olinos" y se mezcla con el tema de la madre perseguidora del amante de la hija (12). El romance de La Robla comienza así:

> Por los campos de Valverde Baldovinos fué a cazar,
> tocó la cuerna de oro y otra toca de cristal.
> Y la oyera el rey morico que en altas torres está:
> —Moricos, los mis moricos, los que estáis a mi mandar,
> los que bebéis de mi vino y los que coméis de mi pan,
> ese que toca la cuerna ganas tien de pelear...

y en las versiones del *Conde Olinos* se alude a un entrometimiento del protagonista en los dominios del rey moro:

> —Morillos, los mis morillos, los que coméis el mi pan,
> id buscar al conde Olinos, que a mis montes va a cazar.

Este Baldovinos que caza en tierras del rey moro recuerda al Baudoin de la *chanson,* vestido como de caza ("Alez s'en est sanz armes ensi com an gi-

---

(12) Una de ellas puede verse impresa en JUAN MENÉNDEZ PIDAL, *Romances asturianos,* 1885, pág. 137. En una versión de Logares (Lugo), "La sangre de los morillos formó un brazo de mar".

biez", 130 a), que entra hasta el pabellón de Sebile, y el rey sarraceno que acude a prenderle con treinta sajones (núm. 8 del análisis). En el romance los moriscos del rey moro acuden a la llamada de éste: "Por los campos de Valverde cinco mil moricos van", y en la otra versión

> Po'l monte de los Acebos cien mil morillos se van
> en busca del conde Olinos, no le pueden encontrar...;

número de "cinco mil" que nos recuerda otra situación análoga en el poema de Bodel, cuando el rey sarraceno persigue al audaz entrometido con quinientos sajones (148 a, 150 a) en el más peligroso trance en que Baudoin se ve comprometido (número 11 del análisis).

Después, según el romance del *Conde Olinos*, en una versión gallega:

> Po'l camín de los Acebos cinco ríos de sangre van,
> onde se juntan los ríos hacen un brazo de mar;
> caballo del conde Olinos recelaba de pasar,
> —Pasa, mi caballo, pasa, no receles de pasar,
> de muchas ya me has sacado, de ésta no me has de dejar;

o en el romance de La Robla:

> Por los campos de Valverde tres ríos de sangre van,
> Baldovinos y el caballo no se atreven a pasar.
> Estando en estas razones, comienza el caballo a hablar:
> —Aflójame de la cincha y apriétame del brial (léase: [petral]),
> y esos tres ríos de sangre yo me los he de pasar.

Situación que aún conserva vivo recuerdo de cuando el rey sajón grita a sus quinientos barones que no se escape Baudoin (148 a), y éste, viendo por valles y prados acudir los perseguidores (149 a), afloja las riendas a su caballo (152 a) y se lanza a la rápida corriente del Rin, clamando a Jesús que le libre de muerte y animando a su caballo con caricias (154 a). (Véase el núm. 11 del análisis, y compárese también el núm. 8, escena repetida bastante semejante, pero en la cual el caballo no merece especial atención.)

¡Lástima que no poseamos una versión vieja que nos colocase unos cuatro siglos antes en la evolución oral de este romance! Tal como llega hoy a nosotros, vemos que ha dado una tonalidad fuertemente irreal a la fuga de Baldovinos cazador, en vez del simple tono de aventura desesperada que tiene en la *chanson* francesa. El Rin, el río bélico, aparece en la tradición española convertido grandiosamente en un mítico río de sangre.

Belardos y Baldovinos. Impreso en la tercera parte de la *Silva de romances* de Zaragoza, 1551; lo reimprime Menéndez Pelayo, pero no lo incluye en su estudio de los romances de *Baldovinos* (13). Sin embargo, este romance merece atención muy particular. Es muy viejo, como revelan su estilo y su cambio de asonancias, -ia, -io, -ia; es uno de los más hermosos romances carolingios, por su fuerte sabor caballeresco y su intenso espíritu poético; encierra, además, un singular interés crítico,

---

(13) Véase *Antología*, IX, 1899, pág. 250, y XII, 1906, páginas 391-393.

pues nos muestra con mayor claridad su particular dependencia respecto a la *Chanson des Saisnes* a la vez que la independencia con que la tradición española trata la materia épica francesa.

Es también muy importante este viejo romance porque podemos considerarlo en unión con versiones tradicionales modernas. El estudio completo de la versión antigua y de las actuales está hecho en un trabajo inédito de María Goyri cuyos resultados recojo aquí sumariamente.

Advirtamos desde luego que esas versiones modernas sólo coinciden con la vieja en la primera mitad; en la segunda parte difieren mucho, pues mientras el romance viejo cuenta cómo Belardos encuentra a Baldovinos moribundo, de quien Sevilla viene a despedirse, las versiones modernas cuentan que después del encuentro con el moribundo, Belardos vence y mata al gigante que hirió de muerte a Baldovinos, joven de quince años, que no sabe manejar las armas, contaminación de los romances juglarescos de *Calaínos* o de *Bramante,* que tratan de un Baldovinos aún no amante de Sevilla (14). De esas versiones modernas conocemos doce: de León, Zamora (dos), Santander (dos) (15), Asturias, Lugo (tres), Orense y Tras-os-Montes (16), todas, como se ve, pertenecientes al noroeste de la Península, el rincón más tradicionalista

---

(14) Véase *Primavera,* II, págs. 394, 397 y 403.

(15) Cossío y Maza Solano, *Romancero popular de la Montaña,* I, 1933, págs. 108-111.

(16) F. A. Martins, *Folklore do Concelho de Vinhais,* Lisboa, 1939, pág. 42.

de ella. Todavía hay que agregar a esas doce una de Sevilla, la cual, al comienzo de *Belardos y Baldovinos*, añade una segunda parte, procedente del romance juglaresco del *Marqués de Mantua* (de Armantua). Como suele suceder, las versiones modernas conservan algún que otro rasgo tradicional mejor que la versión recogida en el siglo XVI; después de cuatro siglos, la tradición oral es aún muy estimable.

La versión de 1551 comienza con un verso comodín, al cual sigue la mención de una batalla:

El cielo estaba nubloso, el sol eclipse tenía
cuando el conde don Belardos de la batalla salía;
treinta caballos de diestro que en ella ganado había...

En cambio, las versiones modernas (Santander, León, Zamora, Orense) truecan acertadamente el comodín inicial (17):

Tan alta iba la luna como el sol de mediodía,
cuando el buen conde Belardo de la batalla salía;

y ese verso primero, mejor que el de 1551, nos conduce a la batalla de medianoche contada por el poema francés, en la cual Berart gana diez caballos (núm. 5 del análisis). La luna tiene un papel

---

(17) Estos comodines pueden verse en la *Primavera*, de WOLF y HOFMANN, núms. 98 (variante del pliego suelto), 169-170. En el 169, romance del *Suspiro de Valdovinos*, no va bien la escena de medianoche, contrariamente a la escena correspondiente en el poema de Bodel.

importante en esta batalla: "la lune es esclarcie" (95 a), "A la lune chevauchent" (98 a), etc. El romance no se limita a ese episodio de la *chanson*, sino que lo mezcla con otros posteriores, cuando el emperador habla a Belardos. Según la versión de 1551, le dice acerca de los caballos ganados:

Trocaríamos, mi sobrino, ganancia por la perdida,
si viniese Baldovinos, por aquí no parescía;
velo a buscar, don Belardo, velo a buscar, por tu vida...

lección inferior también a la de las versiones modernas (León, Tras-os-Montes), que nos sorprenden llevándonos de nuevo a la *Chanson des Saisnes*, cuando ponen así las palabras del rey (Carlomagno) alusivas a la ganancia de los caballos:

Esa ganancia, Belardo, échala por la perdida,
que tu primo Baldovinos fué a cazar y no volvía;
volveldo vos a buscar por la parte que os cabía...

Trasunto claro del otro episodio de Bodel, ya citado, en que Baudoin sale como de caza, y Carlomagno, al notar su ausencia, teme haya ido sin armas al campo sajón y que allí lo maten (130 a); todos le creen ya muerto, y Berart va a buscarle (número 8 del análisis).

Según la versión de 1551, Belardos vacila en ir a buscar a Baldovinos, porque están enojados el uno con el otro (núm. 5 del análisis) a causa de ciertos dones de la infanta Sevilla, un neblí (número 7 del análisis) y una sortija (núms. 9 y

10) (18); en las versiones modernas, sólo una de las de Santander recuerda estos dones, mudados ahora en una manzana y una sortija. Contrastando con este pormenor tan arraigado en la tradición, las demás versiones modernas se apartan más de la *chanson* francesa, aunque recordándola muy de lejos: Belardo dice que el enojo de Baldovinos tiene como causa "porque pretendí de amores a la infanta doña Sevilla" (versión sevillana) o bien "que andamos ambos y dos enamorados de una niña" (León).

La versión antigua, lo mismo que las modernas, cuenta que Belardos, por fin, venciendo su enojo, va a buscar a Baldovinos (núm. 8), y aquí comienza la segunda parte del romance.

La versión de 1551 (las modernas ya dijimos que prosiguen con otro tema) cuenta en esta segunda mitad que Belardos ve venir, traído en hombros de caballeros, a Baldovinos herido de muerte, no se dice por qué accidente; desea que le dejen morir en una pradera florida, donde siente llegar, refrescantes, los aires "de Francia do fuí nascido", prueba que el romance sabe que Baldovinos muere en tierra enemiga cercana a Francia. Todo revela una poetización nueva, y muy feliz, de esta muerte, ya que en la *chanson* Baudoin muere combatiendo, asaltado por sus enemigos. El moribundo del

---

(18) En el texto reimpreso por la *Antología*, IX, 250, léase: "mas si a mí me dió el neblí, a él(la) le dió una sortija".

romance dedica un recuerdo a Sevilla, y en ese momento llega ella ante su amigo (no su esposo):

> ¡Baldovinos, Baldovinos, corazón y alma mía,
> nunca holgastes conmigo sino una noche y un día!

semejantemente, en el poema de Bodel, Baudoin, moribundo, piensa en su mujer, en lo poco que han podido disfrutar juntos (núm. 14 del análisis):

> Hé! roïne Sebile qui tant faiz à prisier...
> po avons éu tans por nos cors delitier! (257 a)

De las trescientas series consonantadas del poema de Bodel, sólo unas 50 dieron asunto a los cuatro romances, a saber, de la 101 a a la 156 a, todas referentes a las repetidas incursiones de Baudoin a través del río para ver a Sebile. Se comprende bien el interés que esos episodios despertaron en la tradición romancesca, porque constituyen sin duda las escenas más vitales y felices en que más brilla el arte del poeta. Aunque es de suponer que los desharrapados juglarones, despreciados por Bodel, cantaban ya alguna incursión de Baudoin para ver a Sebile, Bodel debió de innovar completamente el tema, reiterando esas visitas y dándoles animación antes desconocida, de modo que el Rin, ese río eternamente bélico, se ve, por obra de Bodel, convertido durante la guerra de Carlomagno en un río de amor, Helesponto de un Leandro medieval, caballero galante y hazañoso.

Pero ocurre preguntar: ¿proceden los romances directa e inmediatamente de una fuente francesa, sea de la *chanson* misma, sea de algún resumen de ella en prosa? Sería bastante inverosímil que, no uno, sino múltiples romances hubieran sido producidos por iniciativa individual de autores varios que dispersamente se aficionasen a la lectura de un texto francés, para lanzar trozos de él a la popularidad. Debemos suponer una previa popularización del conjunto, esto es, una adaptación española del poema que, por estar en español, pudo popularizarse toda ella y pudo dar a varios de sus trozos popularidad bastante para convertirse con el tiempo en tradicionalidad. Los cuatro romances de Baldovinos no pueden deber su primera forma a varios juglares romancistas, sino a un juglar de gesta traductor o adaptador de la obra de Bodel. Los cuatro romances son meros fragmentos cuya primera popularidad postula entre cantores y oyentes el recuerdo de un relato extenso y trabado, dentro de cuya totalidad recibe cada uno de esos trozos su pleno sentido; son cuatro anillos sueltos que nos llevan a reconstruir la cadena de donde se soltaron, una gesta recordada por los cantores y oyentes de esos romances que les hacía saber quién era el misterioso Nuño Vero, por qué suspiraba Baldovinos acordándose del emperador, o en qué consistían los peligros del río que el héroe debía atravesar.

Es verdad que los cuatro romances se refieren sólo a una sexta parte del contenido total del poema francés, pero ellos mismos nos revelan que la traducción de conjunto no se limitaba a esa parte, pues suponen un relato completo, donde se contaba la muerte de Baldovinos.

La traducción seguía bastante fielmente el texto de Bodel. Es muy notable cómo continúan viviendo en los romances ciertas frases que para quien lee arreo la *chanson* pasan insgnificantes, perdidas en la inmensidad de aquellos alejandrinos: el *sospire dou cuer* sirve de tema al más famoso romance; el *contez-nos vos noveles, trovastes Baudoin?* se reproduce en el verso *preguntaros he por nuevas de Baldovinos,* que aunque sin desentrañar su complicado sentido anecdótico, forma el núcleo tradicional de *Nuño Vero;* el *pō avons éu tans* lo repite Sevilla ante Baldovinos falleciente.

Sin embargo, la traducción tomaba otras veces caminos muy apartados del original. La prueba de que los romances no provienen inmediatamente del poema de Bodel es que todos difieren de él en un rasgo fundamental, a pesar de las muchas coincidencias de pormenor ya notadas. En ningún romance aparece Sevilla como mujer del rey moro; en cambio, aparece como hija en aquellos romances que precisan su parentesco. En el romance del *Suspiro de Baldovinos* y en el de *Belardos y Baldovinos* se la llama "la infanta Sevilla", nunca "reina". Y este rasgo diferencial de los romances tradicionales se encuentra igualmente en los juglarescos: en el de *Calaínos,* este moro va a la ciudad de Sansueña a pretender a "la linda infanta Sevilla", hija de Almanzor; en el *Marqués de Mantua* la "infanta Sevilla", hija del rey de Sansueña, se torna cristiana para casarse con Baldovinos (19). Y esta constante y capital discrepancia respecto del poema de Bodel lo es también respecto a la tradición francesa anterior, en que Sebile es igualmente la mujer de Guiteclin antes de serlo de Baudoin, versión que corría también entre los eruditos de España en el siglo XIII, como se ve en la *Gran conquista de Ultramar,* donde se resume una canción de gesta vieja, y en ella Baldovin se casa con la viuda del rey Sajón vencido por Carlos (20). Pero en el mismo siglo XIII, en el sur de Francia, era conocida ya la calidad de Sevilla hija, no mujer, del rey sarraceno, como se ve en la *Vita sancti Honorati* y en su traducción en verso provenzal de que vamos a hablar en seguida.

Otra diferencia que muy probablemente separaba del poema de Bodel su traducción española es la localización de la escena en España. Esto se ve ya en la citada *Vita sancti Honorati,* fraguada en el monasterio provenzal de Lérins a fines del siglo XII o en la primera mitad del XIII. Entre diversas leyendas épicas que extrañamente mezcla, refiere que el joven Carlos, hijo de Pipino, se hallaba cautivo en Toledo, corte del rey mahometano Aygolando; éste tiene una hermosísima hija llamada Sibilia, reina de Saxonia ("Sibilia nomine, regina Saxo-

---

(19) Véanse ambos romances en la *Primavera,* de WOLF y HOFMANN, II, págs. 386 y 199.

(20) Véanse G. PARIS, *Hist. poét. de Charlemagne,* 1865, páginas 288 y 290. La *Gran conquista,* en la *Bibl. Aut. Esp.,* tomo XLIV, pág. 185 b.

nie"), la cual, siendo poseída del diablo, es curada, catequizada y bautizada por San Honorato; en premio de la curación, Honorato obtiene de Aygolando la libertad de Carlos y de sus doce pares; cuando los cautivos son llevados ante el rey sarraceno y ante Sibilia, ésta se enamora de Baudoinus, a quien andando el tiempo tomó por marido (21). Esta *Vita*, que tuvo mucha difusión, traducida al provenzal en verso y al catalán en prosa, en su traducción provenzal, hecha a fines del XIII por Raimon Feraud, añade nombres geográficos, incluyendo la Saxonia del texto latino entre Castilla y el sur de Francia, en el reino de Aygolant, cuya corte es Tholeta conforme al latín:

> Rey Aygolant, avía una filha mot bella,
> non era plus gensor el regne de Castella,
> Sibila avía nom, reyna de Sancsuenha,
> del comtat d'Agenes e de tota Gascuenha (22).

Este nombre provenzal *Sansuenha* es el derivado popular del latín *Saxiona*, con la nasalización de la sílaba inicial que ocurre en variantes francesas en los manuscritos de la *Chanson de Roland* y de la *Chanson des Saisnes: Sansoigne, Sansoine,*

---

(21) El texto de la *Vita sancti Honorati* fué estudiado por P. MEYER en la *Romania*, VIII, 1879; véanse págs. 498-500. La frase última, que Sibilia amó a Baudoin "quem adoptavit in virum tempore succedente", es versificada por R. FÉRAUD "mant que retray la gesta que pueys fo son espos".

(22) Extracto completo de Féraut, véase en G. PARIS, *Hist. poét. de Charlemagne*, págs. 498-500.

junto al corriente *Saissogne, Sassoigne* (23). Bien comprensible es que en los países alejados de la Sajonia alemana, divulgándose únicamente este nombre geográfico para tratar de los sajones o *saisnes,* sarracenos vencidos por Carlomagno, y estando ya perdida toda memoria de unos sajones paganos, habitantes a la derecha del Rin, se creyó que esos *saisnes* y su *Sansuena,* guerreada por Carlos, radicaban en la morería de España. Coincidiendo con Raimon Feraud, el juglar gascón Giraut de Calanso, en su *planh* o elegía a la muerte del hijo de Alfonso VIII de Castilla, Fernando, muerto en 1211, nombra juntamente "Samsuenha, Espanha et Aragos" (24). El nombre en su forma francesa y provenzal se propagó fácilmente en castellano, coincidiendo su diptongo con el de otros nombres geográficos habituales: *Gascueña* de *Vasconia, Catalueña* (antes de generalizarse los catalanismos con *u* acentuada), *Ciruena* (Logroño) de *Cironia, Tarancueña* (Soria), etc., etc. El carácter popular, pudiéramos decir juglaresco-carolingio, que la voz *Sansueña* pudo alcanzar en español, se observa mediante el hecho de que los historiógrafos en el siglo XIII preferían la forma latinizante: así la *Gran conquista de Ultramar,* aun resumien-

---

(23) E. Langlois, *Table des noms propres dans les chansons de geste,* 1904, pág. 593. F. Michel, *La Chanson des Saxons,* 1839, I, pág. 28.

(24) En Milá, *Obras,* II, 1889, págs. 124 y 540, nota. (En *De la poesía,* 1874, pág. 365, nota, se contradice, creyendo que Samsuenha en Calanso es Sajonia, lo que creo inadmisible.)

do un relato épico (anterior al de Bodel) (25), usa el nombre *Saxoña* y no *Sansueña,* e igualmente la *Primera Crónica general,* tratando geográficamente de la región limítrofe al Rin, la llama *Saxonia,* salvo una vez que explica el nombre erudito mediante la forma popular nasalizada: "*Sasonia,* que llaman agora *Sansoña*" (26).

Tenía, pues, en España este nombre una forma vacilante, ora erudita, ora popular, y el significado de la forma popular debía de ser vacilante también, como lo era todavía en el siglo XVI: para la mayoría, Sansueña era una ciudad mora, como en el mencionado romance de *Calaínos* y en el de *Gaiferos,* libertador de su esposa, ciudad que Cervantes, en el retablo de Maese Pedro, identifica con Zaragoza, siguiendo una común opinión; para algunos otros, Sansueña era todavía Sajonia (27). Es, pues,

---

(25) Supone la guerra de Sajonia acaecida antes de la rota de Roncesvalles y dice que la reina sajona sólo en el bautismo recibe el nombre de Sevilla (véase en la *Bibl. Aut. Esp.*, tomo XLIV, pág. 185 b, y cfr. G. PARIS, *Hist. poét. de Charlemagne,* pág. 290).

(26) *Primera Crónica general,* págs. 175 a 33, 203 a 14, 6 a 14; en este último pasaje la *Tercera Crónica general,* ed. Ocampo, 1541, fol. 4 a, pone "Saxonia, que llaman agora Sansemia", errata material por "Sansenna", sin duda forma derivada de Sansuena, como Urena de Uruena.

(27) Sansuena por Zaragoza también en los poetas modernos: por ejemplo, en el duque de Rivas, *España triunfante* (en *Obras,* I, 1854, pág. 106). Góngora satiriza "A un caballero de Córdoba que decía que Córdoba se llamó Sansuena" (romance que comienza "Desde Sansuena a París", *Bibl. Aut. Esp.*, tomo XXXII, pág. 521 b). Hurtado de Mendoza recuerda aún el valor primitivo del nombre cuan-

de suponer que la traducción española de Bodel situase ya la Sansueña en España, y es muy probable que, como parece en el romance del *Suspiro de Baldovinos,* la infanta Sevilla uniese ya su nombre con el de la ciudad de Sevilla, y que las visitas furtivas de Baldovinos no se hiciesen atravesando el Rin, sino un río andaluz o los Caños de Carmona, espiados por los moros.

En los dos romances juglarescos ya aludidos, el de *Calaínos* y el de *Gaiferos,* libertador de Melisenda, el rey moro que habita en la ciudad de Sansueña es Almanzor. Según el romance de *Calaínos,* Almanzor es el padre de la infanta Sevilla. Quizá ya en la traducción de la obra de Bodel este Almanzor sustituía a Guiteclin.

En el romance de *Belardos y Baldovinos* éste muere sin haberse casado con Sevilla, que es sólo su amiga; no es probable que esto sea primitivo, pues el juntar la muerte de Baldovinos con la batalla nocturna en que Belardos gana tantos caballos, es sin duda simple confusión abreviadora, debida al romance. Además Baldovinos muere sin que aparezca en nada su calidad de rey, lo cual verosímilmente remonta al arreglo español, que no admitiría un reino francés establecido en la morería peninsular.

En suma, según vemos, aunque varias de las

---

do da como vocablo viejo el que "por decir Sajonia dijera Sansueña" (en PAZ y MELIA, *Sales españolas,* I, 1890, página 97). En el *Amadís* y en las *Sergas de Esplandián* se habla varias veces de Sansueña, pero es región inidentificable (véase CLEMENCÍN, *Quijote,* V, 1836, pág. 44).

discrepancias que en los romances hallamos son evidentemente debidas a las alteraciones de la transmisión romancística oral o juglaresca, otras remontan sin duda a la primitiva gesta traducida. Los cuatro romances tradicionales de *Baldovinos*, a la vez que nos muestran el éxito de la *Chanson des Saisnes* de Bodel, cuyos incidentes y pormenores copian en abundancia, nos deben mostrar también, lo mismo que los pocos versos conservados del *Roncesvalles* y los romances de ese poema derivados, la gran libertad con que en España era tratada la materia épica francesa. Y para alterar la *Chanson des Saisnes* había más razones que para modificar ninguna otra gesta. La obra de Jean Bodel, más que poema épico, poema de amor cortés y de sensual galantería, no era fácilmente asimilable por los juglares de gesta españoles ni por su público. La *Chanson des Saisnes* se divierte en escenas de adulterio colectivo de las damas y de bonachona indulgencia colectiva de los caballeros que componen la hueste de Carlomagno, cayendo sólo el castigo sobre los cómplices masculinos: reitera tres y cuatro veces la situación risible del rey Guiteclin, marido encolerizado con Baudoin y complaciente con Sebile. Por chocante humorada, Bodel fantasea esta psicología de gallinero: el macho que se irrita contra su rival y excluye del conflicto a la hembra; actitud que no podía popularizarse y que probablemente fué gran parte para que, al ser trasplantada Sansueña al Occidente, se hiciese a Sevilla hija y no mujer del rey sarraceno, lo mismo en Provenza que en España, contradiciendo la antigua leyenda carolingia de la guerra sajona. Es también casi seguro que la gesta española en el *Suspiro de Baldovinos* mezclaría ya motivos morales, mirando como pecaminosos los amores con una mora, lo mismo que en el romance; y es muy probable que, como nos deja sospechar el romance de *Nuño Vero,* Carlomagno impusiese a su sobrino por esos amores una hazaña a modo de penitencia expiatoria, en vez del simple alarde caballeresco y galante, la sortija y el beso, que únicamente exige Carlos en el poema francés.

CÓRDOBA Y LA LEYENDA DE LOS INFANTES DE LARA

Conferencia pronunciada el día 20 de mayo de 1951, en el Salón de Actos de la Excelentísima Diputación Provincial de Córdoba, con motivo de la reapertura de la calleja de los Siete Infantes de Lara

UNAS BREVES NOTAS COMO ANTECEDENTE

La calleja de los Siete Infantes de Lara, después de más de tres siglos de haber perdido su filiación como vía pública, se reincorporó de repente, como dice García Sanchiz, para pasar como un collar de oro al moreno cuello de Córdoba.

Pero la histórica calleja no se asomó de nuevo al paisaje de la ciudad por sí sola, sino llevada de la mano por el notable investigador don Enrique Romero de Torres.

En diciembre de 1949, por razones que ahora no vienen al caso, se descubrió que esta calleja pertenecía al Municipio. Una de las muchas vías que por razones de epidemias, o de higiene, o simplemente por otras menos respetables, pasaban a propiedad particular... y se echaban en el olvido.

El señor Romero de Torres recordaba de su niñez haber curioseado por las rendijas de la puerta que impedía el acceso a la calleja. Ambrosio de Morales, como testigo ocular en el primer tercio del siglo XVI, da interesantes noticias de la misma; Barrio Villamor, en su *Historia de Burgos*, y Ramírez de las Casas Deza, en su *Indicador cordobés*, siguen a Morales, y sus referencias se recogen en la magna obra de Menéndez Pidal *La leyenda de los Siete Infantes de Lara*.

Hay en el Archivo Municipal acuerdos capitulares, desde el 6 de octubre de 1553 hasta septiembre de 1654, en los que se autoriza a un propietario para poner en la portada de su casa siete cabezas, diciendo que son las de los infantes, y para cerrar la calleja y ponerle puerta. De tan lejana época, pues, data el hecho de quedar cerrado este trozo de la ciudad. Después, sobre la puerta, se levantó un tabique que le hizo ya perder por completo su arquitectura callejera desde fuera.

Con estos antecedentes, no cabía duda del interés arqueológico del hallazgo, y el señor Romero de Torres visitó, para estudiarlas, las casas limítrofes de la calleja, pudiendo comprobar que las mismas formaban parte del palacio descrito por Ambrosio de Morales y en la propia calleja, que los primitivos arquillos eran de herradura y los restantes, aunque habían perdido su traza morisca, respondían, no obstante, a la tradición que pesaba sobre ella. Y se procedió a su restauración, una vez comprobado que pertenecía al Municipio.

El señor Menéndez Pidal, requerido por el alcalde, accedió a redactar la inscripción que había de grabarse en una lápida conmemorativa, y facilitó el siguiente texto:

DOS INSIGNES HISTORIADORES CORDOBESES,
ABEN HAYAN, AMBROSIO DE MORALES,
Y UN CANTAR DE GESTA CASTELLANO
NOS DICEN QUE EN EL AÑO 974
EN ESTA CASA ESTUVO PRESO
EL SEÑOR DE SALAS GONZALO GUSTIOZ
Y QUE LAS CABEZAS DE SUS HIJOS
LOS SIETE INFANTES DE LARA,
MUERTOS EN LOS CAMPOS DE SORIA,
FUERON EXPUESTAS SOBRE ESTOS ARCOS.
VERDAD Y LEYENDA VENERABLE,
DE FAMA MULTISECULAR EN TODA ESPAÑA

El ilustre polígrafo, autor de la reconstrucción del poema de los *Infantes de Lara,* vino a Córdoba para descubrir la lápida, el día 20 del pasado mes de mayo. Por la tarde, en el Palacio de la Diputación, pronunció sobre el sugestivo tema la maravillosa conferencia que se inserta en este folleto. Y al final del acto, el señor Enríquez Barrios, en nombre de la Real Academia Cordobesa, le impuso la medalla de académico de honor, distinción única hasta la fecha que la docta Corporación ha concedido.

RAFAEL GAGO JIMÉNEZ

CONFERENCIA
DE DON RAMÓN MENÉNDEZ PIDAL

Córdoba me honra queriendo que sea yo quien os hable en esta ocasión inaugural de la calleja de los Infantes de Lara. Inauguración por cierto bien extraña. Una calle se había perdido en medio de la ciudad, y ahora se devuelve al vecindario por el decidido celo de su alcalde, don Alfonso Cruz Conde, y por entusiasta iniciativa del director del Museo, don Enrique Romero de Torres, revalorizando el interés arqueológico e histórico de ese pintoresco rincón del caserío viejo.

Los cordobeses tenían olvidada esa calleja. ¿Desde qué fecha? Parece ser que fué en el pasado siglo cuando se cerró su entrada por la calle Cabezas. Tenemos un dato que fecha la ocultación de la calleja muy a principios del siglo XIX o algo antes. Cuando el insigne cordobés don Ángel de Saavedra, futuro duque de Rivas, escoge, para iniciar la revolución romántica, la leyenda tan cordobesa de los infantes de Lara, y en el destierro de 1823 escribe *El moro expósito,* los recuerdos sacados de la patria acuden a la mente del poeta siempre insistentes y gratos. Habla mucho de su ciudad natal, de Córdoba, en los versos y en las notas que les añade, pero en el romance cuarto refiere que Giafar, el rival de Almanzor, el que tienen prisionero al padre de los infantes, después de mostrar a éste las cabezas de sus hijos, las coloca como bárbaro trofeo a las puertas de su alcázar, de donde Zaide, el ayo de Mudarra, las recoge para enterrarlas en el jardín de su castillo. No hay aquí nota alguna que aluda a la tradición cordobesa. Parece, pues, que don Ángel de Saavedra, en su primera juventud, que va del último decenio del siglo XVIII al primer cuarto del XIX, no había oído nada de la calleja, ni se había fijado su atención en los arquillos que pudo leer en la *Historia* escrita por Morales.

Ambrosio de Morales nos informa que en su tiempo, es decir, hacia 1580, cuando escribe su *Historia,* era señalada la antigualla que hoy nos ocupa. "En Córdoba, escribe Morales, hay hasta agora una casa que llaman de las Cabezas, cerca de la del marqués del Carpio, y dicen tomó este nombre por *dos* arquillos que allí se ven todavía, sobre que se pusieron las cabezas de los infantes" (libro XVI, capítulo 46). Se conoce que la callejuela estaba muy obstruída con añadidos que impedían ver más de dos arcos.

Según leo en un artículo que el culto periodista don Rafael Gago publicó en el diario *Córdoba,* del 14 de diciembre del año 1949, entonces, escudriñando la calleja, se podían contar seis arcos. En otro artículo del 14 de abril de 1950, dice que hay que derribar obstáculos que dificultan la visión de los últimos arcos; y en un tercer artículo del 12 de agosto último leo que, una vez dejado exento un elegante arco de ladrillo que hace el número seis, se restaurará el séptimo, muy destrozado, pero del cual se conservan los arranques. En vista de unas fotografías de la calleja que me envió el señor Romero de Torres, el expertísimo juicio de don Manuel Gómez Moreno es que la estructura de tales arcos parece ser árabe.

La calleja, pues, en sus siete arcos muestra el origen de la tradición: cada arco, según la imaginación popular, habría de tener una de las siete cabezas, y esta invención es anterior al siglo XVI, en que Morales no veía más que dos arcos. Estamos, pues, en presencia de una tradición medieval, quién sabe de qué antigüedad; tradición que en tiempos del gran historiador comenzaba a perder fuerza, ya que había perdido el apoyo numérico en los arcos visibles que no llenaban la mágica cifra impar. La obstrucción de la calleja debió de comenzar en los primeros decenios del año 1500, cuando la casa llamada de las Cabezas sufrió una gran reedificación. En la niñez de Morales, poco más o menos hacia 1520, cuando el gran historiógrafo tenía siete años, dicha casa era toda ella de tipo árabe: "Agora todo aquello está labrado de nuevo, mas siendo yo pequeño, edificio había allí antiguo morisco, harto rico, y decían haber sido allí la prisión y cárcel donde Gonzalo Gustioz estuvo."

Pero ¿quién era este Gonzalo Gustioz y quiénes estos infantes de Lara?

Córdoba me da en mi vejez la más grata de las satisfacciones, la de reavivar uno de los predilectos recuerdos de mi juventud, el recuerdo de uno de los primeros y más emocionantes de mis hallazgos literarios. En el siglo pasado nada menos, a mis veinticuatro años, estudiando las numerosas crónicas guardadas en la Biblioteca Nacional, al tomar un gran infolio, digno de extender sus tapas sobre las espaldas de un facistol catedralicio, se abre al azar el voluminoso tomo por un capítulo encabezado, como todos los de aquel elegante manuscrito, con grandes letras góticas de a pulgada, que decían: "Alicante... comenzó de andar por sus jornadas fasta que llegó a Córdoba, e esto fué un viernes, viéspera de sant Cebrián." El nombre de Córdoba y la fecha, víspera de San Cipriano, trajeron a mi memoria un hermoso romance de los Infantes de Lara que comienza:

> Pártese el moro Alicante
> víspera de San Cebrián;
> ocho cabezas llevaba,
> todas de hombres de alta sangre...

Y esa sencilla concordia alumbraba en mi ánimo la oscuridad de complicados problemas literarios, mostrando con toda lucidez las inmediatas relaciones existentes entre los romances del siglo XVI y los cantares de gesta prosificados en las crónicas de los siglos XIII y XIV; y esas relaciones me sugerían una concepción nueva sobre la vida de esos dos géneros épicos, a la que el gran maestro barcelonés Milá y Fontanals no había podido llegar por no haber tenido a su disposición aquel infolio que ahora se abría ante mis ojos por una página sorprendente, en su comienzo de capítulo, con letras de a pulgada. Muchos años después, esa misma llamativa fecha "viéspera de sant Cebrián", predestinada a identificaciones ilustrativas, me habría de servir para afianzar la relación entre la leyenda de los Siete Infantes y un relato del ilustre historiador cordobés Aben Hayán, que yo, también por acaso, leía en 1927.

Creo me perdonaréis que en el presente acto os interne en estas emociones y averiguaciones de la investigación, pues tienen, como luego veremos, un interés histórico, y a la vez tienen su valor general literario y humano, fuera del círculo de la pura técnica científica. Y paso confiadamente a exponer ante vosotros alguno de los problemas que la leyenda de los Infantes plantea.

La vieja leyenda, tal como la contaba un cantar de gesta prosificado en la *Crónica general* iniciada por Alfonso el Sabio, comenzaba contando que en tiempos del conde de Castilla Garci Fernández se celebraron en Burgos las magníficas bodas del ricohombre Ruy Velázquez con doña Lambra. La alegría de las fiestas se ve malamente turbada por una disputa sobre los deportes caballerescos allí ejercitados; se llega a palabras ofensivas entre la novia y su cuñada, la madre de los siete infantes; ocurren también homicidios; con otras graves injurias que dan origen a una mortal enemistad entre las dos familias. Los llantos desesperados de la novia hacen que Ruy Velázquez, fingiendo reconciliación, envíe a su cuñado Gonzalo Gustioz, señor de Salas, padre de los siete infantes, como embajador a Córdoba, so pretexto de pedir a su gran amigo Almanzor ayuda pecuniaria para atender a los desmesurados gastos que las bodas le habían ocasionado. Le envía con una carta traidora escrita en árabe, en la cual decía al moro que hiciese matar al mensajero, y que después él le entregaría a los siete infantes, grandes defensores de Castilla, induciéndoles a ir en guerra sobre la frontera de Almenar, donde el capitán moro Galbe los podría sorprender y dar muerte. Vista por Almanzor la insidiosa carta, se compadeció de Gonzalo Gustioz y se limitó a hacerle echar en prisión, mandando a la princesa su hermana que guardase y atendiese al prisionero castellano. Y así acaeció que pasando los días se hubieron de enamorar la princesa mora y el señor de Salas, y de ambos nació un hijo, Mudarra, que después fué gran caballero, como la leyenda dirá. Antes de que estas aventuras se realizasen y sabiéndose sólo en Castilla que Gonzalo Gustioz cumplía su embajada, Ruy Velázquez invitó a sus sobrinos los siete infantes para ir con él en cabalgada contra tierra de moros en el campo de Almenar. En el camino, el ayo de los siete jóvenes les quiere disuadir de la guerra a que van, pues ve agüeros muy contrarios; pero los infantes se empeñan en seguir adelante y, según el traidor había dispuesto, les sorprende el capitán moro Galbe, les cerca, les rinde, y acuciado por el traidor Ruy Velázquez los degüella, y lleva las siete cabezas a Córdoba. Ésta era la costumbre de los ejércitos musulmanes: sus victorias eran anunciadas siempre por carretadas de cabezas de los enemigos vencidos, las cuales eran expuestas sobre las almenas de los muros de Córdoba, y a veces llevadas después a otras ciudades, y hasta enviadas al África como testimonio del éxito militar. Las cabezas de los siete infantes son presentadas por Almanzor a su prisionero Gonzalo Gustioz. Ésta es la escena de mayor fuerza trágica en la terrible leyenda. Gonzalo Gustioz coge una a una las desfiguradas cabezas de sus hijos, las limpia del polvo y de la sangre que las cubría y cumple con cada una el deber ritual hacia el difunto, dedicándole un lamento y un elogio fúnebre. El Duque de Rivas, en su *Moro expósito*, desarrolló esta escena en muy hermosos endecasílabos:

Sin habla Gustios, o mejor, sin vida,
estuvo sin moverse una gran pieza:
luego un temblor ligero, imperceptible,
apareció en sus miembros, y en violenta
convulsión terminó; pero tornando
a la inmovilidad, gira y pasea
los ojos, cual los ojos de un espectro,
por una y otra de las siete prendas.
Sonrisa amarga agita un breve instante
sus labios sin color, y en tanto queman
sus mejillas dos lágrimas, y luego los tiernos
hijos a nombrar comienza,
los ojos enclavando en el que nombra,
y esperando tal vez, ¡ay!, su respuesta:

"¡Diego!... ¡Martín!... ¡Fernando!... ¡Suero!... ¡Enrico!...
¡Veremundo!... ¡Gonzalo!...", y cuando llega
a este nombre, dos veces lo repite;
y recobrando esfuerzo y vida nueva,
entrambas manos trémulas extiende
y agarra de Gonzalo la cabeza
y la alza; pero al verla sin el cuerpo,
un grito arroja, y súbito la suelta,
cual si hecha de encendido hierro fuese.
Empero torna a asirla, se la lleva
a los labios y un beso en la insensible
mejilla imprime... La frialdad horrenda,
la ascosa fetidez sufrir no pudo,
y como cuerpo muerto cayó en tierra.
Aquel resto infeliz del hijo suyo
cayó sobre su pecho, y desde él rueda
por la alfombra, dejando sucio rastro
de sangre helada, corrompida y negra.

Toda Córdoba compadecía el dolor del prisionero, y Almanzor le dió libertad para que volviese a Castilla, llevando consigo las siete cabezas. Gonzalo Gustioz, al despedirse de la princesa mora, sueña en una posible venganza; se quita un anillo, y partiéndolo en dos, da a ella una mitad como señal por donde pudiera reconocer al hijo de ambos, cuando fuese crecido y se lo enviase. Allá en Salas, Gonzalo Gustioz arrastra una triste vida, viejo, sin amparo, sin poderse vengar de Ruy Velázquez, quien, a pesar de su traición en connivencia con Almanzor, seguía poderoso y honrado en la corte del conde Garci Fernández.

Así pasaron muchos años hasta que un día llega a Salas el hijo nacido en Córdoba, Mudarra, con 200 caballeros moros, y se da a conocer mostrando el medio anillo. Pasadas las primeras alegrías del reconocimiento, se dirigen Mudarra y su padre Gonzalo Gustioz a Burgos, y al entrar en el palacio condal, hallan allí, con el conde, al traidor Ruy Velázquez. Mudarra le desafía y le mata, vengando así la muerte de los siete infantes y la prisión del padre.

Esta leyenda, contada en esta crónica del siglo XIII, según un cantar de gesta anterior, tiene un aspecto histórico; dos de sus personajes, el conde Garci Fernández y Almanzor, son conocidamente históricos; como narración histórica la consideran las crónicas medievales, y lo mismo hicieron los principales historiadores desde los primeros tiempos modernos hasta Berganza, a comienzos del siglo XVIII. Después Ferreras, Masdeu, Lafuente, etc., hablan del suceso, pero negándole crédito. La cuestión parecía resuelta en este sentido. Sin embargo, en el estudio que yo hice de este tema en 1896, volví a abogar por un considerable fondo histórico en el relato legendario.

La afirmativa o la negativa tienen un interés científico de gran alcance. Una de las cuestiones que con más ardor se discuten desde comienzos del presente siglo en el campo de la crítica literaria es la historicidad de la epopeya, como que de esa cuestión depende el concepto que sobre la esencia de este gran género de poesía cabe formar.

La crítica que podemos llamar tradicionalista afirma la poesía épica de la Edad Media como un género tradicional, esto es, un género cuyas producciones nacen coetáneamente a los sucesos que celebran, y luego se elaboran, mucho o poco, en el curso de su transmisión a las generaciones subsiguientes, revistiendo así el carácter de una poesía popular o nacional. De este modo, con matices muy varios, piensan Gastón Paris, Milá y Fontanals, Pío Rajna, Ferdinand Lot y tantos otros, yo entre ellos.

La crítica que llamaremos individualista afirma, por el contrario, que los cantares de gesta nacen mucho después de los sucesos tratados, inspirándose en alguna antigua crónica, en algún poema latino o en una leyenda oral, ni más ni menos que Walter Scott se inspiraba para escribir cualquier novela histórica, y son obra de un solo individuo. Así, en una u otra manera, piensan Philippe Auguste Becker, Joseph Bédier, Camille Julien y muchos otros modernos.

Las gestas, según este individualismo, carecen de todo interés histórico, son juegos de imaginación fraguados por poetas tardíos. Por el contrario, según el tradicionalismo, la epopeya tiene un profundo valor histórico, pues arrastra siempre consigo materiales de la coetaneidad en que nació.

Para el individualismo, la epopeya no ofrece cualidades singulares de estilo y factura que la distingan, y debemos aprender a estudiar las obras del siglo XII con el mismo criterio con que estudiamos las del siglo XX. A esto replicamos, en nombre del tradicionalismo, que aprender a mirar las obras del siglo XII como las modernas, es aprender a ignorar que los tiempos y los pueblos son siempre distintos, inconfundibles; es ignorar que hubo épocas de producción literaria generalmente anónima y de gustos colectivos, y que se lleva camino falso queriendo juzgar genéticamente y gustar estéticamente una obra del siglo XII como una del XX, sin penetrarse del esencial primitivismo que anima las producciones de aquellos remotos siglos.

Debemos, pues, escrutar en particular la historicidad de la leyenda de los Siete Infantes, a pesar de la común opinión de los historiógrafos modernos que, sin especial examen, la trataron como leyenda totalmente ficticia. Ya, según he indicado, cuando la estudié por primera vez, en 1896, sugerí algún fundamento real, haciendo notar la identificación del moro Galbe de la leyenda con el célebre Gálib, muerto en 981, gobernador de la frontera castellana durante la vida del conde Garci Fernández, y a cuyo lado hizo Almanzor sus primeras armas contra los cristianos. Hacía valer también otros rasgos, como el hecho de colocar la frontera al norte del Duero, cosa que no podía ocurrírsele a un poeta del siglo XII o XIII, sino viéndose constreñido a ello por una tradición ya consagrada. Bastantes años después, leyendo al gran historiador cordobés Aben Hayán, me salió al paso la solución precisa del problema.

En el largo resumen que la *Crónica general* del siglo XIII da del cantar de gesta, se distinguen claramente dos partes. La primera mitad es de fuerte sabor realista: las fiestas, las disputas, los altercados, los homicidios en las bodas y en las tornabodas de Ruy Velázquez, la íntima amistad de este ricohombre castellano con Almanzor, la intervención de Almanzor en las rencillas de los cristianos, los agüeros, superstición militar muy medieval, los largos incidentes de la cabalgada en la frontera del Duero, la presencia de Garci Fernández y de Galbe..., todo rebosa exacto particularismo de la vida hispana en los últimos decenios del siglo X. Por el contrario, la segunda mitad de la leyenda es de tono abiertamente novelesco: la princesa guardiana de un prisionero y enamorada de él, episodio que figura en numerosas ficciones de varios pueblos; el anillo partido en señal de reconocimiento, tema de muchos cuentos; el hijo bastardo vengando el honor de la familia legítima, asunto de varias gestas, como la de la *Reina calumniada*, y otros temas así que se repiten en diferentes relatos.

Almanzor en esta segunda parte ya no figura con sus rasgos históricos, sino con el rasgo novelesco de mandar a su hermana que cuide del prisionero Gonzalo Gustioz, y con el de amar paternalmente al bastardo Mudarra.

A pesar de todo esto, hay algo en la primera mitad que parece, más que real, invención caprichosa y lo que es peor, invención inhábil. ¿Cómo Ruy Velázquez y sus sobrinos los siete infantes, teniendo en Córdoba ante Almanzor un mensajero amistoso, atacan sin motivo ninguno la frontera musulmana? ¿Cómo los sobrinos no ven que, al entrar en cabalgada devastadora por la frontera de Almenar, comprometen la situación de su padre y el éxito de la embajada que el padre había llevado a Córdoba? Con razón Gastón Paris no comprendía la imprudencia de tal ataque fronterizo, y suponía malamente que la embajada de Gonzalo Gustioz debía de ser un torpe añadido posterior a la primitiva leyenda. Después, también parece contrario al realismo de la primera parte de la leyenda el que en Córdoba se aprisionase a un mensajero, atropellando la inmunidad del embajador, que en la cultísima corte califal era escrupulosamente respetada. Recordemos un ejemplo. El ya citado Aben Hayán, refiriendo una embajada de la monja Elvira, tutora del rey de León, cuenta que los embajadores, puestos ante el trono de Alhakén II en el palacio de Medina Azahara, comenzaron su discurso con palabras injuriosas (probablemente algún fanático concepto contra la religión islámica), palabras tan descomedidas que el califa, a voz en grito, arrojó de su presencia al intérprete, mandándole castigar muy mal, y arrojó también a los embajadores, haciéndoles saber que, a no haberle detenido la inmunidad del cargo que traían, hubieran sido castigados igualmente. Por esto, la prisión de Gonzalo Gustioz, presentando la corte de Córdoba como bárbara conculcadora del derecho de gentes, parece novelesca, no histórica, y más cuando la vemos adornada con el detalle de la carta traidora, evidentemente ficticio: es la carta de Urías, el gran pecado del rey David, que para gozar a la mujer de Urías hace a éste llevar un mensaje semejante para que reciba muerte; es, en las leyendas griegas, la carta de Belerofonte, a quien Preto hace llevar misiva de traición para que el rey de Licia le mate; es la carta pérfida que figura en otras ficciones de otras literaturas. Y, sin embargo, esas dos acciones chocantes (el ataque militar cuando está pendiente una embajada amistosa y el encarcelamiento del embajador), se dieron en un preciso momento del siglo X: en Castilla, el mensaje pacífico, desmentido injustificadamente por un ataque guerrero, y en Córdoba, la violación de la inmunidad del mensajero.

Reduzcamos a esquema esencial la primera parte de la leyenda, la parte realista, y nos bastará esto: gobernando a Castilla el conde Garci Fernández, un ricohombre de su corte, Ruy Velázquez, envía a Gonzalo Gustioz con embajada de amistad a Córdoba. Estando pendiente la embajada, Ruy Velázquez, con sus sobrinos los siete hijos del mensajero, ataca la frontera de los moros por Almenar, en tierras de Soria. En aquella frontera, el moro Galbe mata a los siete infantes. El trofeo de sus cabezas llega a Córdoba la víspera de San Cebrián.

Ahora bien: Aben Hayán refiere que en agosto del año 974, el conde de Castilla Garci Fernández había enviado embajada al califa de Córdoba para afirmar la pacífica amistad que hacía años existía entre ambos Estados. Mientras los embajadores cumplían su misión, el conde Garci Fernández atacó inopinadamente la frontera de Deza, en tierras de Soria, y derrotó a los valíes de aquel distrito, subordinados de Gálib, gobernador de aquella frontera. Al saber esto, el califa, indignado, mandó expulsar a los embajadores castellanos, respetando su inmunidad; pero como ellos se resistiesen a la orden de expulsión, los mandó prender y los encarceló muy duramente. La noticia del rebato de Deza, que causó la indignación del califa, llegó a Córdoba el 12 de septiembre.

Los sorprendentes puntos de semejanza en tiempos, lugares y personas entre una y otra serie de hechos son nada menos que siete: 1.º Firme paz y amistad entre Burgos y Córdoba. 2.º Embajada amistosa enviada a Córdoba por el conde Garci Fernández o por un ricohombre de ese mismo conde. 3.º Esa embajada es desmentida extrañamente por un ataque guerrero de los castellanos. 4.º El ataque se realiza por la frontera de Soria, por Deza o por Almenar. 5.º En esa frontera actúa Gálib, según la Historia; Galbe, según el cantar de gesta. 6.º Los embajadores o el embajador, a pesar de la inmunidad propia de su cargo, son presos en Córdoba. Tantas semejanzas me habían bastado para identificar seguramente los dos sucesos cuando por primera vez aproximé los dos relatos en 1929; pero después, calculando fechas, caí en la cuenta de una semejanza más: 7.º La noticia de la agresión dirigida por Garci Fernández sobre la tierra de Deza llegó a Córdoba el 12 de septiembre, y las cabezas de los siete infantes caídos en la frontera de Almenar llegaron a Córdoba la víspera de San Cebrián. ¡Cuál no sería mi sorpresa cuando, al hacer averiguaciones sobre la fiesta del famoso obispo de Cartago, San Cipriano, me encuentro con que, según el calendario del siglo X, se celebraba el 14 de septiembre, antes de que se trasladase al 16 para dejar su día a la fiesta de la Exaltación de la Cruz! De modo que, según el cantar de gesta, las cabezas de los infantes que llevaban la noticia de la cabalgada sobre Almenar llegaron a Córdoba la víspera de ese santo, esto es, el 13 de septiembre, un día después que la noticia de la cabalgada sobre Deza. Esa sorprendente coincidencia vino a remachar firmemente la certeza de la identificación, bien firme ya antes de apoyarse en esta última evidencia.

La cabalgada de los infantes sobre Almenar fué, pues, el incidente desgraciado de unos cuantos muertos cristianos, en la victoriosa cabalgada que sobre Deza dirigió el conde Garci Fernández, rompiendo la paz con el Islam. Deza y Almenar distan entre sí sólo 25 kilómetros, y las incursiones fronterizas abarcaban extensiones mayores de terreno. Hasta 80 kilómetros se extiende la incursión que describe el *Poema del Cid* por las riberas del Henares.

Por lo demás, el ambiente que envuelve la primera parte de la gesta de los infantes es de una verdad histórica bien extraña, que no se repitió en la historia de España con los caracteres que se dan en la segunda mitad del siglo X. Ese Ruy Velázquez tan amigo del moro de Córdoba que puede pedirle dinero para los gastos de las bodas; que le encomienda una venganza exigida por la novia; ese ricohombre castellano que después de cometida la traición de acuerdo con el moro, sigue honrado en la corte de Castilla, refleja perfectamente un singular período, no sólo la larga paz y amistad entre los cristianos del Norte y el califato cordobés, sino de sumisión, de mediatización sufrida por todos los Estados cristianos, intervenidos y casi gobernados por los califas Abderramán III y Alhakén II, desde 959, en que Sancho el Gordo de León y la orgullosa reina Toda de Navarra van a humillarse ante Abderramán III para obtener su auxilio, hasta el año 974 en que el conde Garci Fernández rompe inesperadamente la paz, agrediendo a Deza. Son quince años de majestuosa hegemonía de Córdoba sobre todos los Estados cristianos del Norte. Éstos, sumisos a una poderosa mediatización, acuden continuamente a Córdoba ante el trono del califa en el palacio de Azahara. Se suceden frecuentes embajadas, cuyo rendido acatamiento se complace en destacar Aben Hayán. Embajadas de los reyes de León, de Sancho el Gordo o de Ordoño el Malo, o del niño Ramiro III y su tutora la monja Elvira; embajadas del rey de Navarra, García Sánchez y su tutora la reina Toda; embajadas varias del conde Borrell de Barcelona; embajadas del conde de Galicia Rodrigo Velázquez, o del conde Fernán Laínez de Salamanca, o de Fernando Ansúrez, conde de Carrión, etc.

Del embajador Gonzalo Gustioz ninguna historia árabe dice una palabra, pues nunca dan el nombre de los enviados. Que una historia latina hablase de él, ni pensarlo siquiera. Las concisas crónicas latinas, pobrísimas de pormenores, no se permiten nombrar más que la persona del rey y la de los enemigos con que el rey tiene que combatir. Sólo será posible hallar el nombre de ese emisario en algún documento notarial de los conservados en los archivos eclesiásticos. Y en efecto, diez documentos de los monasterios de Cardeña y de Arlanza, y de la catedral de Burgos, nombran al padre de los infantes y a su hijo mayor Diego. Por esos documentos sabemos que Gonzalo Gustioz fué poblador de Salas, y que fué potestad o gobernador de la tierra de Juarros, incluída al Norte en la Alfoz de Lara. Los diez documentos pertenecen a los años 963, 969, 970, 971, 972, 974 y 992. La presencia de Gonzalo Gustioz es, pues, frecuente en la docena de años que va desde 963 a 974, en que el nombre se repite en nueve documentos; después, contrastando con tanta frecuencia, hay un vacío de dieciséis años en que el nombre no reaparece, hasta que en 992 se halla en el décimo y último documento. Reparemos ahora que la ocultación de Gonzalo Gustioz en esta colección diplomática que he podido reunir ocurre a partir del documento fechado en 974; fecha reveladora: es el año de la embajada pacífica de Garci Fernández, seguida de la acometida bélica contra la frontera de Soria. Todo, pues, sucede en nuestros diez documentos como si Gonzalo Gustioz hubiera ido con los embajadores de Garci Fernández y hubiera sufrido en Córdoba una larga prisión de todos o parte de esos dieciséis años en que no tenemos de él noticia documental ninguna. Por desdicha, la *Historia* de Aben Hayán ha llegado a nosotros incompleta, y quedando interrumpida después de contarnos la prisión de los embajadores castellanos, no sabemos la suerte ulterior de los prisioneros. Lo más probable es que sufrieron un largo encarcelamiento, toda vez que a la injustificada ruptura de paz por Garci Fernández siguió un largo período de guerras del que forman parte las tan reiteradas incursiones de Almanzor.

El profesor de la Universidad de Roma Ángelo Monteverdi, a nombre de la crítica individualista, objetó sobre la identificación de la cabalgada legendaria contra Almenar con la cabalgada histórica contra Deza, preguntando extrañado: si ambas pertenecen a un mismo suceso, ¿por qué la acción desdichada de los siete infantes en Almenar hubo de ser cantada por los castellanos, y en cambio la acción gemela, pero victoriosa, de Garci Fernández en Deza no mereció ser recordada? La objeción es injustificada de todo punto. Con sobrada razón se ha dicho que la derrota es la musa épica por excelencia. El desastre militar inspira las más famosas gestas francesas, la *Canción de Roland*, el *Aliscans*. La derrota y prisión del príncipe Igor es el tema de la más famosa gesta rusa. La infausta batalla de Kossovo constituye el más popular canto servio. La mayoría de nuestros romances fronterizos cuentan derrotas sufridas por los cristianos en la guerra de Granada, y tan grande es la propensión de esos romances a los temas trágicos, que las victorias cristianas prefieren mirarlas desde el campo moro, como derrotas; así cantan el dolor del rey de Granada por la pérdida de Alhama o por la de Antequera, y no la alegría de los cristianos por tales conquistas. La aflicción de la desgracia tiene una fuerza purificadora (desde Aristóteles era sabido), tiene un valor poético de que carece el orgullo del éxito.

La victoria de Garci Fernández en Deza es muy probable que fuese cantada, pero ese canto, si existió, no se mantuvo en la tradición. En cambio, es preciso suponer que a fines del siglo X un poeta anónimo de Castilla compuso un canto noticiando la muerte de los jóvenes de Salas caídos en la frontera de Almenar con la prisión de Gonzalo Gustioz en Córdoba, y que ese canto fué impresionante y muy repetido en aquellos lúgubres días en que el poderío de los ejércitos musulmanes tenía abrumada, subyugada toda la cristiandad hispana. Ese canto noticiero se refundió, con la adición de un complemento, la invención de Mudarra, nacido en Córdoba para vengar la muerte de los siete infantes castellanos; con ese epílogo se redondeaba poemáticamente la trágica acción. El poema, el cantar de gesta, se propagó por todas partes:

> "arte de ciego juglar
> que canta viejas fazañas
> y con un solo cantar
> cala todas las Españas".

Las *Crónicas Generales* de la nación, desde el siglo XIII, acogieron el martirio de los siete infantes y la venganza de Mudarra como parte esencial de los fastos nacionales; los historiadores de la Edad

Moderna, Garibay, Morales, Mariana y sucesores, incluyeron también el relato épico; lo tomó como tema escénico el teatro, desde Juan de la Cueva a Lope de Vega, Hurtado Velarde, Matos Fragoso y varios otros; trataron esta leyenda a comienzos del siglo XIX el conde de Noroña, Altés y Gurena y Joaquín Francisco Pacheco; el duque de Rivas, desterrado, entre todos los recuerdos de su amada Córdoba, escoge el de los infantes de Lara como tema de su revolucionario manifiesto romántico; después el padre Arolas, Somoza, García Gutiérrez, Fernández y González y otros renuevan en varios modos el viejo tema.

Por su parte, Córdoba cultivó siempre como propia la lúgubre y dolorosa leyenda. La atrajo así cuanto pudo. El paso más audaz fué el prescindir de la frontera del Duero. Esa frontera era bien real en el siglo X, pero resultaba inconcebible cuando la reconquista avanzó hasta el sur de España, de modo que fué inevitable el colocar la acometida y la muerte de los infantes en Andalucía. Ya un *Sumario de Crónicas de España*, hecho a fines del siglo XIV, decía que los siete infantes "fueron muertos cerca de Córdoba"; y Ambrosio de Morales precisa que la muerte fué "en el campo de Albácar, castillo famoso a cuatro leguas de Córdoba, donde las sierras abren ancho llano para se poder dar una batalla". Ese castillo de Albácar está efectivamente a cuatro leguas de Córdoba, sobre el río Guadiato, y allí se señala un campo de Arabiana, quizá nombre erudito colocado allí para competir con el Arabiana de Soria.

En 1615, Ambrosio de Salazar, maestro de español en la corte de París, en una violenta discusión lexicográfica con el gramático francés César Oudin, también maestro de español, le corrige (muy sin razón por cierto) el significado de la voz *tremedal,* diciéndole "que es un montón de piedras como el que está en los campos de Arabiana, junto a Córdoba, no sé si pasastes por allí..., donde hay un calvario que es donde murió Gonzalvillo, el menor de los Laras". Salazar usa aquí la voz *calvario* en el mismo sentido que montículo; y a este propósito recuerdo que un erudito cordobés del pasado siglo, Luis Ramírez Casas-Deza, en un artículo publicado en el *Semanario Pintoresco* de 1849, sobre la muerte de los siete infantes, escribe: "en la misma Córdoba se designa otro sitio de sus muertes a una legua de la ciudad, cerca del santuario de Nuestra Señora de Linares, y allí se ven como señales siete montones de piedras que se han ido formando desde tiempos muy antiguos". Esa misteriosa frase, "se han ido formando", se refiere evidentemente a la muy vieja costumbre existente entre muchos pueblos, de señalar el sitio donde ha ocurrido una muerte violenta, arrojando el transeúnte en aquel lugar una piedra, acompañada de una oración o una maldición, según la calidad de la víctima; de modo que los siete montículos en Nuestra Señora de Linares o en el campo de Albácar, formados desde tiempos muy antiguos, nos revelan un culto popular a la memoria de los jóvenes burgaleses caídos en defensa de la fe religiosa y de la fe civil de la España reconquistadora.

No sé si todavía hoy se conserva algún resto de esa piadosa práctica en la campiña de Córdoba. Muy interesante sería el indagarlo. En cuanto a la ciudad, bien sabemos que no ha olvidado el recuerdo y el cultivo de esta multisecular tradición nacional, a la cual ha dado la más alta expresión artística de los tiempos modernos el cordobés autor de *El Moro expósito.* Y en esta tenaz recordación es bien de notar que con los escritores siempre colaboró el vecindario; lo que nos lleva a reincidir en la antigualla que hoy inauguramos, trayendo aquí un acuerdo del Cabildo de la ciudad tomado el 6 de octubre de 1553 (según me comunicó hace muchos lustros don Francisco de Borja Pavón) referente a la calle de las Cabezas: "Su Señoría dió licencia a Rodrigo Alonso, jurado, para que pueda hacer una portada y poner siete cabezas, y que diga que son las de los siete infantes de Lara, y que es la calle de ellos; que para lo hacer se le dió licencia en forma, para que la pueda hacer sin pena alguna." Ignoro si esa portada se hizo efectivamente, pero podemos asegurar que el intento del jurado Rodrigo Alonso no fué el que originó la aplicación de la leyenda a la calle en cuestión. Las palabras de Ambrosio de Morales, referentes a la *casa de las Cabezas* con sus *dos arquillos,* nos dicen, según el comienzo expusimos, que el nombre remonta a tiempos muy anteriores en que se veían siete arcos, los siete con que la acertada restauración de hoy ha restituído esta olvidada calleja de la ciudad a un estado medieval que ya no era conocido en tiempo de Ambrosio de Morales.

Cuando hoy, por nuestros pecados de incultura, es tan frecuente el bárbaro espectáculo de otras ciudades que destruyen, profanan o afean su fisonomía histórica, torpemente, con precipitación inconsulta que no acierta a satisfacer sus particulares conveniencias del momento sin estropear su pasado, bien debemos congratularnos en la obra restauradora que Córdoba lleva a cabo por cariñoso desvelo de Cruz Conde y de Romero de Torres, pues este rincón de vuestra hermosa ciudad encierra en su estrechez grandes y valiosos recuerdos, que se extienden sobre muy esenciales aspectos de la historia política y de la historia cultural de España a través de siglos y siglos.

FÓRMULAS ÉPICAS EN EL «POEMA DEL CID»

Publicado en *Romance Philology*, VII, 1954, University of California Press, págs. 261-267

FÓRMULAS ÉPICAS EN EL «POEMA DEL CID»

CUESTIÓN METÓDICA

Al querido colega y amigo, el profesor S. Griswold Morley, en sus setenta y cinco años

Un sustancioso capítulo, titulado "Epische Formeln", de E. R. Curtius (1) comienza recordando que yo señalo en el *Poema del Cid* tres casos en que el estilo épico español imita el estilo francés: 1.°, enumeraciones descriptivas, comenzadas por *veriedes,* y en francés por *la veïssiez;* 2.°, plegarias narrativas; 3.°, la frase *llorar de los ojos.* Curtius propone añadir un cuarto caso, que resulta de gran importancia porque modifica la fecha designada al poema.

Ese cuarto caso ocurre en el pasaje que cuenta el viaje de Álvar Fáñez desde Valencia a Castilla, en el cual se halla "el chocante verso" 1310:

Dexarévos las posadas, non las quiero contar.

---

(1) De su estudio *Antike Rhetorik und vergleichende Literaturwissenschaft,* publicado en *CL,* I ,1949, 27-31

Esto ocurre en *Le Couronnemet Louis:*

> 269 De ses jornées ne sai que vos contasse.

Y en el *Aymeri de Narbonne* (ed. Demaison 1887) hallamos:

> 3252 De lor jornées ne quier fere devis
> 3492 De lor jornées ne vos quier deviser
> 3828 De ses jornées ne vos conterai ja
> 3900 De lor jornées ne vos quier a conter.

Continúa Curtius: "La frase 'Yo omito particularidades del viaje' ocurre, pues, por primera vez en el *Couronnement Louis*. En el *Aymeri* es ya un clisé." El *Couronnement* es fechado por Voretzsch hacia 1130, pero Ph. A. Becker lo fecha hacia 1160 y el *Aymeri* hacia 1170. Toda vez que el poeta del Cid tomó este tópico épico de esos textos, "no pudo escribir antes de 1170, y su poema es unos treinta años más moderno de lo que Menéndez Pidal sienta".

Con ese solo verso como prueba única y suficiente, Curtius echa a un lado la fecha hacia 1140, apoyada en un haz de pruebas conjuntas, sin detenerse a rebatirlas. Por nuestra parte, vamos a examinar despacio la simplista argumentación opuesta, y bien vale la pena hacerlo, pues encierra importantes cuestiones metódicas.

Comencemos por notar que inspira muy poca confianza un argumento fundado en la fecha, tan insegura, de una *chanson de geste*. Muchos (yo entre ellos) no admiten para el *Aymeri* la fecha hacia 1170 que Curtius da como inconmovible, basándose en Ph. A. Becker, y creen que debe prevalecer la establecida muy firmemente, oscilando entre 1205 y 1225, según concordes observaciones de L. Gautier, L. Demaison, G. Paris, J. Bédier, E. Faral, K. Voretzsch, etc. De modo que, si el verso cidiano dependiese del *Aymeri*, entonces el *Mio Cid* no pudo ser escrito sino muy entrado el siglo XIII; consecuencia lingüísticamente absurda, huyendo de la cual se le impuso a Curtius el aceptar la fecha 1170 para el *Aymeri*.

Notaré después que la observación del tópico hecha por Curtius estaba hace mucho hecha por mí en *El Cantar de Mio Cid*, I (1908), 69, comentando el mismo verso 1310, *Dexarévos las posadas*, a propósito del cual cité el *Couronnement Louis* en su verso 269: *De ses jornées...*; pero además notaba que en esa *chanson de geste* había otro verso igual, el 1448; de modo que la fórmula de excusa, contra lo que cree Curtius, era ya un clisé antes que la usase repetidas veces el *Aymeri*. ¿Y en cuántas más ocasiones, antes que en el *Couronnement*, habrán escrito los juglares una frase semejante?

Es sin duda una afirmación precipitada el sentar que "la frase 'Omito detalles del viaje' ocurre por primera vez en el *Couronnement Louis*" (2).

---

(2) Es bien notable que Bédier, por ejemplo, admite a veces el que hayan existido otros textos anteriores a los conservados, pero no cuenta con ellos para sus razonamientos.

Lo únicamente exacto sería decir: "ocurre por primera vez, a lo que yo conozco", porque pudieron existir o pueden ser conocidas otras frases anteriores.

La cicatería de discutir esa precipitada manera de afirmar no la cometería yo respecto a un autor de tan altos merecimientos como Curtius, si no fuera porque esa precipitación es habitual en la crítica antitradicionalista, que siempre razona bajo la insostenible hipótesis de que los primeros textos hoy conservados (o de que se tiene noticia) son los primeros que han existido. (3).

Conversando conmigo sobre mi propósito de escribir el presente artículo, Dámaso Alonso me alarga algunos pasajes pertinentes que tenía anotados, y entre ellos uno anterior al *Couronnement,* los versos 860-862 del *Pèlerinage de Charlemagne* (comienzos del siglo XII):

> Que vos en ai je mais lonc plait a aconter?
> ils passent les païs, les estranges regnez,
> venut sont a Paris... (4).

---

(3) "Die Wendung 'Einzelheiten der Reise übergehe ich' tritt also zum ersten Mal im *Couronnement Louis* auf" (página 29). Por este resumen en alemán del verso en cuestión se ve que Curtius no exige ninguna coincidencia verbal para suponer imitación en tan vulgar concepto; en efecto, ninguna coincidencia hay entre el verso del *Cid* y el del *Aymeri.*

(4) Me indica también "Ne conterai pas lor jornées / que tantes terres ont passées / qu'a Genes droit s'en sont venu", de *L'enfant remis au soleil* (Montaiglon et Raynaud, *Recueil...,* I, 14); y "Que vous iroie-je contant / ne les pa-

Y al registrar este importante ejemplo me apresuro a negar que *ils passent les païs...* pueda ser tomado como una variante tópica, modelo del verso de *Mio Cid* 1826:

passando van las sierras e los montes e las aguas,

con que el juglar se libra igualmente de detallar otro viaje. En la vaga evasiva *passando van las sierras...* no hay tópico literario; hay tópico topográfico, tópico del suelo de España, que no es llano como el de Francia, y todo viaje tiene que atravesar molestas sierras, como lo saben bien nuestras carreteras y nuestros ferrocarriles.

La vulgaridad de estas frases nos lleva a discutir el concepto del tópico en cuanto indicio de imitación.

Curtius es un especialista del tópico. Viene dándonos una copiosa serie de monografías sobre la literatura latina medieval como fuente inspiradora de las literaturas románicas, y su atención se fija siempre en los tópicos que ve repetirse en las obras de los más distintos tiempos y países.

Pero debo oponer al ilustre erudito un reparo fundamental que en otra ocasión expuse, a propósito de otros ensayos suyos, titulados *Zur Literar-*

---

roles alongant?", de *La dame qui aveine demandoit* (*Recueil*, I, 29). Había, pues, fómulas variadísimas no épicas, sino del lenguaje común. Curtius también indica otras (*CL*, I, 30-31).

ästhetik des Mittelalters (5). Curtius maneja un concepto impreciso y vago del tópico: no distingue entre aquello que se le ocurre espontáneamente a cualquiera, a todos, y lo que lleva un sello personal; no pone aparte las expresiones espontáneas, impuestas por la naturaleza misma de las cosas, por la lógica del pensamiento o de la imaginación, y el tópico literario, caracterizado por contener alguna singularidad de forma interna o externa, inventada por un autor, sea conocido, sea anónimo.

El tópico vulgar nadie lo toma de otro, porque es de todos, como decía Lope de Vega a los que le censuraban por emplear algunos de ellos: *arenas* y *estrellas* para lo innumerable, *tórtolas* para las églogas...: "Usar lugares comunes, ¿por qué ha de ser prohibido?, que si no se hubiera de decir lo dicho, ¡dichoso el que primero escribió en el mundo! Pues a un mismo sujeto bien pueden pensar una misma cosa Homero en Grecia, Petrarca en Italia y Garcilaso en España" (6).

Efectivamente, el tópico particularmente literatizado de algún modo es el único que sirve para indicar una concatenación histórica, más o menos estrecha, entre los varios textos en que se halla.

---

(5) Publicados en *ZRPh*, LVIII (1938) y LIX (1939). Mi reseña de estos ensayos se titula *La épica española y la "Literarästhetik des Mittelalters" de E. R. Curtius*, y fué publicada en la misma *ZRPh*, LIX, véase en especial páginas 1-5 (reimpreso en el vol. 501 de la Colección Austral, titulado *Castilla...*, en especial, págs. 77-85).

(6) "A don Juan de Arguijo", *Obras sueltas de Lope de Vega*, IV, 1776, pág. 167.

El tópico vulgar espontáneo, poligenético, no tiene valor demostrativo ninguno para jalonar una efectiva tradición literaria; y, sin embargo, es a menudo empleado por Curtius para sus demostraciones.

Y en este reparo puesto por mí al *Zur Literarästhetik* de Curtius no quedé solo. El mismo reparo se hace necesario con respecto a la *Europäische Literatur und lateinisches Mittelalter* de 1948. De esta obra hace una muy amplia y docta reseña María Rosa Lida de Malkiel en *RPh.*, V (1951-52), 90-131, y dedica páginas a mostrar que en ese nuevo libro de Curtius "el concepto de tópico, crucial para el libro, no ha sido pensado con la necesaria precisión" (pág. 120), pues utiliza falsos tópicos "que por ser reacción humana espontánea a estímulos semejantes, surge[n] en diversos tiempos y lugares sin necesaria relación genética" y no sirven para reconstruir la tradición literaria europea que Curtius quiere demostrar (págs. 116-121).

Es preciso evitar que los árboles no nos dejen ver el bosque, que los tópicos no nos dejen ver la obra poética en sí misma. Hice yo mi comentario de 1908 al *Dexarévos las posadas* atendiendo al conjunto del poema, notando que el autor del *Mio Cid* nos describe con gran detalle hasta cinco viajes hechos por el héroe o por sus gentes, y todos los cinco pasan por las contiguas tierras de Medinaceli y de San Esteban de Gormaz, las que el autor conoce palmo a palmo y se recrea en describir, enumerando no sólo todos los pueblos del tránsito, sino las sierras, ríos, matas, castillos y demás. Nos habla también de otros once viajes del Cid o de sus gentes, que no pasan por esa tierra predilecta, y en ninguno de ellos nombra pueblos intermedios, porque no los conoce. Pues bien, en el primero de estos viajes imprecisados, el poeta echa de menos el no poder decir dónde pernoctan los viajeros, como hace en el viaje anterior, tan detallado en sus jornadas, y se contenta con el *Dexarévos las posadas*. En el segundo de los viajes imprecisos, dice sólo *passando van las sierras...* En los otros nueve viajes, nada. Pues esto es lo natural, lo espontáneo.

He aquí por qué, cuando comentaba yo el verso *Dexarévos las posadas,* cité de pasada el *De ses jornées* del *Couronnement,* y califiqué uno y otro verso como "evasiva común en los juglares", sin que pensase entonces, como ahora tampoco pienso, que se deba añadir este caso, según quiere Curtius, a los otros tres casos que señalo, en los cuales el *Mio Cid* imita los usos épicos franceses. Es inconcebible que el autor de *Mio Cid* necesitase oír los cinco mil versos del *Aymeri de Narbonne* para sacar como todo fruto de aquellas heroicas y caballerescas aventuras el insípido verso *De lor jornées.*

Lo repetimos: versos de tan inmensa vulgaridad no sirven para establecer una derivación genética. Aunque entre ellos hubiese alguna semejanza verbal en la frase, sería muy aventurado el afirmar derivación, cuanto más habiendo una discrepancia formal completa. Multitud de excusas así habrán empleado los viajeros de todos los países cuando contaban sus andanzas antes que se escribiesen el *Pèlerinage,* el *Couronnement* y el *Mio Cid;* multitud de autores emplearán excusas después, *Que aquí no digo sus nombres por quitar prolijidad* (Romance de los *Alporchones*, en *Primavera*, 81).

Curtius ve otra muestra de la inspiración libresca del *Poema del Cid* en la descripción del robredo de Corpes. Es idea antigua y firme en él, pues la expuso en su *Zur Literarästhetik* (*ZRPh.*, LVIII, 225) y la repite en *Antike Rhetorik* (*CL*, I 29) y en *Europäische Literatur* (pág. 206):

> **Entrados son los ifantes al robredo de Corpes,**
> **los montes son altos, las ramas pujan con las nuoves,**
> **e las bestias fieras que andan aderredor.**
> **Fallaron un vergel con una limpia fuont (2697).**

Curtius ve aquí un "paisaje ideal", comparable al del *Roman de Thèbes* donde los cabalgantes, después de un valle tenebroso, llegan a un vergel en el que se hallan toda clase de especias y pimienta, y comparable también al comienzo del *Orlando furioso*, donde Angélica vaga por una selva espantosa, oscura y salvaje, y luego halla "un boschetto adorno", surcado por dos claros arroyos que dan frescor a la hierba.

Las tres descripciones no tienen rasgo ninguno en común que indique no ya filiación, sino ni parentesco lejano. La del *Roman de Thèbes* tiene un pormenor fantástico: el gentil vergel cría especias y pimienta. La descripción del *Mio Cid* usa exageración expresiva en los robles que llegan a las nubes y en las bestias fieras que pululan. La descripción del Ariosto es la hecha en términos menos irreales. Queda sólo de común a los tres pasajes el contener un valle o una selva terrible junto a un lugar ameno. Pero ese contraste es un naturalísimo recurso imaginativo que, dada su elementalidad, nace en cualquier mente, es poligenético; dada esa escueta estructura, no puede indicar una tradición literaria.

Curtius, estudiando los tópicos, ve en el robredo de Corpes un paisaje ideal de procedencia puramente literaria. Yo, habiendo estudiado el terreno poetizado en el *Mio Cid,* veo en su robredo de Corpes un paisaje real, literatizado espontáneamente por el poeta.

Por desgracia, el tal robredo no existe hoy (7), para que nos diese la razón a uno o a otro; pero de las *bestias fieras* no hay por qué dudar. Todavía en el siglo XIV son muchísimos los lugares de España donde había caza mayor, según el *Libro de la montería,* de Alfonso XI (8), el cual, al norte de Soria (que es la tierra donde se halla el robredo de Corpes), nombra muchos lugares, unos diez, que califica de *buen monte de oso e de puerco* (9). Y téngase en cuenta que ese libro regio no nombra, por no ser caza noble, el lobo, ni nombra la cebra o asno salvaje, animal que también se cazaba, muy

---

(7) Como han desaparecido muchos otros robredos de España, y como Luzón tampoco tiene hoy las *montañas* ('selvas') *fieras* que dice el poema (véase *Cantar de Mio Cid,* I, 51, 56 n. 1, 67, etc.).

(8) E. HERNÁNDEZ-PACHECO, *El solar en la historia hispana* (1952), págs. 283 y 284, da dos mapas de los lugares de caza mayor en el siglo XIV y en el presente.

(9) Ed. Gutiérrez de la Vega, II (1877), págs. 49 y sigs.

contener un valle o una selva terrible junto a un lugar ameno. Pero ese contraste es un naturalísimo recurso imaginativo que, dada su elementalidad, nace en cualquier mente, es poligenético; dada esa escueta estructura, no puede indicar una tradición literaria.

Curtius, estudiando los tópicos, ve en el robredo de Corpes un paisaje ideal de procedencia puramente literaria. Yo, habiendo estudiado el terreno poetizado en el *Mio Cid,* veo en su robredo de Corpes un paisaje real, literatizado espontáneamente por el poeta.

Por desgracia, el tal robredo no existe hoy (7), para que nos diese la razón a uno o a otro; pero de las *bestias fieras* no hay por qué dudar. Todavía en el siglo XIV son muchísimos los lugares de España donde había caza mayor, según el *Libro de la montería,* de Alfonso XI (8), el cual, al norte de Soria (que es la tierra donde se halla el robredo de Corpes), nombra muchos lugares, unos diez, que califica de *buen monte de oso e de puerco* (9). Y téngase en cuenta que ese libro regio no nombra, por no ser caza noble, el lobo, ni nombra la cebra o asno salvaje, animal que también se cazaba, muy

---

(7) Como han desaparecido muchos otros robredos de España, y como Luzón tampoco tiene hoy las *montañas* ('selvas') *fieras* que dice el poema (véase *Cantar de Mio Cid,* I, 51, 56 n. 1, 67, etc.).

(8) E. HERNÁNDEZ-PACHECO, *El solar en la historia hispana* (1952), págs. 283 y 284, da dos mapas de los lugares de caza mayor en el siglo XIV y en el presente.

(9) Ed. Gutiérrez de la Vega, II (1877), págs. 49 y sigs.

tud de autores emplearán excusas después, *Que aquí no digo sus nombres por quitar prolijidad* (Romance de los *Alporchones*, en *Primavera*, 81).

Curtius ve otra muestra de la inspiración libresca del *Poema del Cid* en la descripción del robredo de Corpes. Es idea antigua y firme en él, pues la expuso en su *Zur Literarästhetik* (*ZRPh.*, LVIII, 225) y la repite en *Antike Rhetorik* (*CL*, I 29) y en *Europäische Literatur* (pág. 206):

> Entrados son los ifantes al robredo de Corpes,
> los montes son altos, las ramas pujan con las nuoves,
> e las bestias fieras que andan aderredor.
> Fallaron un vergel con una limpia fuont (2697).

Curtius ve aquí un "paisaje ideal", comparable al del *Roman de Thèbes* donde los cabalgantes, después de un valle tenebroso, llegan a un vergel en el que se hallan toda clase de especias y pimienta, y comparable también al comienzo del *Orlando furioso*, donde Angélica vaga por una selva espantosa, oscura y salvaje, y luego halla "un boschetto adorno", surcado por dos claros arroyos que dan frescor a la hierba.

Las tres descripciones no tienen rasgo ninguno en común que indique no ya filiación, sino ni parentesco lejano. La del *Roman de Thèbes* tiene un pormenor fantástico: el gentil vergel cría especias y pimienta. La descripción del *Mio Cid* usa exageración expresiva en los robles que llegan a las nubes y en las bestias fieras que pululan. La descripción del Ariosto es la hecha en términos menos irreales. Queda sólo de común a los tres pasajes el

San Lorenzo acoja un pormenor de extrema truculencia que le ofrecía la tradición literaria. Es preciso notar que Prudencio al acoger ese truculento pormenor se complace en dilatarlo y extremarlo (11). Las crueldades de otros martirios o el suplicio de Prometeo están en las actas de los mártires y en las fuentes clásicas utilizadas por todos los pintores del mundo, pero el llevar al lienzo esas truculencias con particular exageración es bien característico de varios pintores españoles.

Este reparo de no tener en cuenta la originalidad del que utiliza una fuente literaria (¿dónde estaría la personalidad del Ariosto, de Shakespeare o de Calderón?) se vuelve a hacer necesario respecto a la nueva obra de Curtius, en la cual nota María Rosa Lida que "todo el libro testimonia mayor estima de la continuidad que de la creación original, de los elementos trasmitidos que de su revitalización en un todo orgánico y singular: la obra de arte concreta" (12).

---

(11) Véase *Sobre una fábula de don Juan Manuel y de Juan Ruiz*, en *Hommage à Ernest Martinenche* (París, 1939), pág. 186 (reimpreso en el vol. 190 de la Colección Austral, titulado *Poesía árabe*, págs. 156-157). Sin tener en cuenta esta observación mía, Curtius, en *Europäische Literatur*, pág. 427 y sigs., repite el argumento de que, pues el humorismo del mártir está en las fuentes hagiográficas, no caracteriza a Prudencio.

(12) En *RPh*, V (1951-52), 111.

ÍNDICE DE AUTORES DE LA COLECCIÓN AUSTRAL

HASTA EL NÚMERO 1235

HEY E, Paul
982-El camino de la felicidad.

HOFFMANN, E. T.
863-Cuentos. *

HOMERO
1004-Odisea. *
1207-Ilíada. *

HORACIO
643-Odas.

HOWIE, Edith
1164-El regreso de Nola.

HUARTE, Juan
599-Examen de ingenios. *

HUDSON, G. E.
182-El ombú y otros cuentos rioplatenses.

HUGO, Víctor
619-Hernani.-El rey se divierte.
652-Literatura y filosofía.
673-Cromwell. *

HUMBOLDT, Guillermo de
1012-Cuatro ensayos sobre España y América. *

HURET, Jules
1075-La Argentina.

IBARBOUROU, Juana de
265-Poemas.

IBSEN, H.
193-Casa de muñecas.-Juan Gabriel Borkman.

INSÚA, A.
82-Un corazón burlado.
316-El negro que tenía el alma blanca. *
328-La sombra de Peter Wald. *

IRIBARREN, Manuel
1027-El príncipe de Viana. *

IRVING, Washington
186-Cuentos de la Alhambra. *
476-La vida de Mahoma. *
765-Cuentos del antiguo Nueva York.

ISAAC, Jorge
913-María. *

ISÓCRATES
412-Discursos histórico-políticos.

JACOT, Luis
1167-El Universo y la Tierra.
1189-Materia y vida. *

JAMESON, Egon
93-De la nada a millonarios.

JAMMES, Francis
9-Rosario al Sol.
894-Los Robinsones vascos.

JENOFONTE
79-La expedición de los diez mil (Anábasis).

JIJENA SÁNCHEZ, L. R. de
114-Poesía popular y tradicional americana. *

JOKAI, Mauricio
919-La rosa amarilla.

JOLY, Henry
812-Obras clásicas de la filosofía. *

JONES T. W.
663-Hermes.

JUAN MANUEL, El infante Don.
676-El Conde Lucanor.

JUNCO, A.
159-Sangre de Hispania.

KANT, Emanuel
612-Lo bello y lo sublime.-La paz perpetua.
648-Fundamentación de la metafísica de las costumbres.

KARR, Alfonso
942-La Penélope normanda.

KELLER, Gottfried
383-Los tres honrados peineros.

KEYSERLING, Conde de
92-La vida íntima.

KIERKEGAARD, Soren
158-Concepto de la angustia.

KINGSTON, W. H. G.
375-A lo largo del Amazonas. *
474-Salvado del mar. *

KIPLING, Rudyard
821-Capitanes valientes. *

KIRKPATRICK, F. A.
130-Los conquistadores españoles. *

KITCHEN, Fred
831-A la par de nuestro hermano el buey. *

KLEIST, Heinrich von
865-Michael Kohibaas.

KOESSLER, Bertha
1208-Cuentan los araucanos...

KOROLENKO, V.
1133-El día del juicio.

KOTZEBUE, Augusto de
572-De Berlín a París en 1804. *

KSCHEMISVARA
215-La ira de Cáusica.

LABIN, Eduardo
575-La liberación de la energía atómica.

LAERCIO, Diógenes
879-*Vidas de los filósofos más ilustres.
936-**Vidas de los filósofos más ilustres.
978-***Vidas de los filósofos más ilustres.

LA FAYETTE, Madame de
976-La Princesa de Cléves.

LAÍN ENTRALGO, Pedro
784-La generación del noventa y ocho.
911-Dos biólogos: C. Bernard y Ramón y Cajal.
1077-Menéndez Pelayo. *

LAMARTINE, Alfonso de
858-Graziella.
922-Rafael.
1073-Las confidencias. *

LAMB, Carlos
675-Cuentos basados en el teatro de Shakespeare.*

LAPLACE, P. S.
688-Breve historia de la astronomía.

LARBAUD, Valéry
40-Fermina Márquez.

LA ROCHEFOUCAULD, F. de
929-Memorias. *

LARRA, Mariano José de
306-Artículos de costumbres.

LARRETA, Enrique
74-La gloria de don Ramiro. *
85-«Zogoibi».
247-Santa María del Buen Aire. - Tiempos iluminados.
382-La calle de la vida y de la muerte.
411-Tenía que suceder... Las dos fundaciones de Buenos Aires.
438-El linyera. - Pasión de Roma.
510-Lo que buscaba Don Juan. - Artemis.
560-Jerónimo y su almohada.-Notas diversas.
700-La naranja.
921-Orillas del Ebro. *
1210-Tres films.

LATORRE, Mariano
680-Chile, país de rincones.*

LATTIMORE, Owen y Eleanor
994-Breve historia de China. *

LEÓN, Fray Luis de
51-La perfecta casada.
522-De los nombres de Cristo. *

LEOPARDI, G.
81-Diálogos.

LERMONTOF, M. I.
148-Un héroe de nuestro tiempo.

991-Miguel de Unamuno. *
1071-El tema del hombre. *
1206-Aquí y ahora.

MARICHALAR, A.
78-Riesgo y ventura del Duque de Osuna.

MARÍN, Juan
1090-Lao Tszé o El universismo mágico.
1165-Confucio o El humanismo didactizante.
1188-Buda o La negación del mundo. *

MARMIER, Javier
592-A través de los trópicos.*

MÁRMOL, José
1018-Amalia. *

MARQUINA, Eduardo
1140-En Flandes se ha puesto el sol. - Las hijas del Cid. *

MARTÍ, José
1163-Páginas escogidas. *

MARTÍNEZ SIERRA, G.
1190-Canción de cuna.

MARRYAT, Federico
956-Los cautivos del bosque. *

MAURA, Antonio
231-Discursos conmemorativos.

MAURA GAMAZO, Gabriel
240-Rincones de la historia.

MAUROIS, André
2-Disraeli. *
750-Diario. (Estados Unidos. 1946.)
1204-Siempre ocurre lo inesperado.

MAYORAL, Francisco
897-Historia del sargento Mayoral.

MEDRANO, Samuel W.
960-El Libertador José de San Martín. *

MELVILLE, Herman
953-Taipi. *

MÉNDEZ PEREIRA, O.
166-Núñez de Balboa.

MENÉNDEZ PELAYO, M.
251-San Isidoro. Cervantes y otros estudios.
350-Poetas de la Corte de Don Juan II. *
597-El abate Marchena.
691-La Celestina. *
715-Historia de la poesía argentina.
820-Las cien mejores poesías líricas de la lengua castellana. *

MENÉNDEZ PIDAL, R.
28-Estudios literarios. *
55-Los romances de América y otros estudios.
100-Flor nueva de romances viejos. *
110-Antología de prosistas españoles. *
120-De Cervantes y Lope de Vega.
172-Idea imperial de Carlos V.
190-Poesía árabe y poesía europea.
250-El idioma español en sus primeros tiempos.
280-La lengua de Cristóbal Colón.
300-Poesía juglaresca y juglares. *
501-Castilla, la tradición, el idioma. *
800-Tres poetas primitivos.
1000-El Cid Campeador.
1051-De primitiva lírica española y antigua épica.
1110-Miscelánea histórico-literaria.

MERA, Juan León
1035-Cumandá. *

MEREJKOVSKY, D.
30-Vida de Napoleón. *
737-El misterio de Alejandro I. *
764-El fin de Alejandro I. *
884-Compañeros eternos. *

MÉRIMÉE, Próspero
152-Mateo Falcone.
986-La Venus de Ille.
1143-Carmen. - Doble error.

MESA, E. de
223-Poesías completas.

MEUMANN, E.
578-Introducción a la estética actual.
778-Sistema de estética.

MIELI, Aldo
431-Lavoisier y la formación de la teoría química moderna.
485-Volta y el desarrollo de la electricidad.
1017-Breve historia de la biología.

MILTON, John
1013-El paraíso perdido. *

MILL, Stuart
83-Autobiografía.

MILLAU, Francisco
707-Descripción de la provincia del Río de la Plata (1772).

MIQUELARENA, Jacinto
854-Don Adolfo, el libertino.

MIRÓ Gabriel
1102-Glosas de Sigüenza.

MISTRAL, Federico
806-Mireya.

MISTRAL, Gabriela
503-Ternura.
1002-Desolación. *

MOLIÈRE
106-El ricachón en la corte. - El enfermo de aprensión.
948-Tartufo. - Don Juan.

MOLINA, Tirso de
73-El vergonzoso en Palacio. - El burlador de Sevilla. *
369-La prudencia en la mujer. - El condenado por desconfiado.
442-La gallega Mari-Hernández. - La firmeza en la hermosura.

MONCADA, Francisco de
405-Expedición de los catalanes y aragoneses contra turcos y griegos.

MONTERDE, Francisco
870-Moctezuma II.

MONTESQUIEU, Barón de
253-Grandeza y decadencia de los romanos.
862-Ensayo sobre el gusto.

MOORE, Tomás
1015-El epicúreo.

MORAND, Paul
16-Nueva York.

MORATÍN, L. Fernández de
335-La comedia nueva - El sí de las niñas.

MORETO, Agustín
119-El lindo don Diego. - No puede ser el guardar una mujer.

MUÑOZ, Rafael F.
896-¡Vámonos con Pancho Villa! *

MURRAY, Gilbert
1185-Esquilo. *

MUSSET, Alfredo de
492-Cuentos.

NAPOLEÓN III
798-Ideas napoleónicas.

NAVARRO Y LEDESMA, F.
401-El ingenioso hidalgo Miguel de Cervantes Saavedra. *

NERUDA, Juan
397-Cuentos de la Malá Strana.

NERVAL, Gerardo de
927-Silvia. - La mano encantada. - Noches de octubre.

ÍNDICE DE AUTORES

* **Volumen extra.**